Modalidades de intervenção clínica em Gestalt-terapia

CIP-BRASIL. CATALOGAÇÃO-NA-FONTE
SINDICATO NACIONAL DOS EDITORES DE LIVROS, RJ

M691
    Modalidades de intervenção clínica em Gestalt-terapia / organização Lilian Meyer Frazão , Karina Okajima Fukumitsu. - São Paulo : Summus, 2016.
    216 p. (Gestalt-terapia: fundamentos e práticas ; 4)

    Inclui bibliografia
    ISBN 978-85-323-1050-7

    1. Gestalt-terapia. 2. Psicologia infantil. 3. Psicoterapia do adolescente. 4. Psicoterapia do idoso. I. Frazão, Lilian Meyer. II. Fukumitsu, Karina Okajima. III. Série.

16-29850
                                                                              CDD: 616.89143
                                                                              CDU: 159.964.32

www.summus.com.br

Compre em lugar de fotocopiar.
Cada real que você dá por um livro recompensa seus autores
e os convida a produzir mais sobre o tema;
incentiva seus editores a encomendar, traduzir e publicar
outras obras sobre o assunto;
e paga aos livreiros por estocar e levar até você livros
para a sua informação e o seu entretenimento.
Cada real que você dá pela fotocópia não autorizada de um livro
financia o crime
e ajuda a matar a produção intelectual de seu país.

Modalidades de intervenção clínica em Gestalt-terapia

LILIAN MEYER FRAZÃO
KARINA OKAJIMA FUKUMITSU
[ORGS.]

summus editorial

MODALIDADES DE INTERVENÇÃO CLÍNICA EM GESTALT-TERAPIA
Copyright © 2016 by autores
Direitos desta edição reservados por Summus Editorial

Editora executiva: **Soraia Bini Cury**
Assistente editorial: **Michelle Neris**
Capa: **Buono Disegno**
Diagramação: **Crayon Editorial**
Impressão: **Sumago Gráfica Editorial**

1ª reimpressão

Summus Editorial
Departamento editorial
Rua Itapicuru, 613 – 7º andar
05006-000 – São Paulo – SP
Fone: (11) 3872-3322
Fax: (11) 3872-7476
http://www.summus.com.br
e-mail: summus@summus.com.br

Atendimento ao consumidor
Summus Editorial
Fone: (11) 3865-9890

Vendas por atacado
Fone: (11) 3873-8638
Fax: (11) 3872-7476
e-mail: vendas@summus.com.br

Impresso no Brasil

Sumário

Apresentação **7**
Lilian Meyer Frazão e Karina Okajima Fukumitsu

1 Psicoterapia dialógica **11**
Enila Chagas

2 O lugar do corpo e da corporeidade na Gestalt-terapia . . . **27**
Mônica Botelho Alvim

3 Psicoterapia com crianças **56**
Myrian Bove Fernandes

4 Trabalhando com adolescentes: (re)construindo
o contato com o novo eu emergente **83**
Rosana Zanella e Sheila Antony

5 O trabalho com idosos em Gestalt-terapia **110**
Jorgete de Almeida Botelho

6 Terapia de casal e de família: uma visão de campo 140
Teresinha Mello da Silveira

7 Abordagem gestáltica no trabalho com grupos 168
Selma Ciornai

8 A Gestalt-terapia no PET-Saúde: uma experiência
em saúde pública 187
Claudia Lins Cardoso

Apresentação

LILIAN MEYER FRAZÃO
KARINA OKAJIMA FUKUMITSU

A psicologia pode ser considerada uma área de conhecimento bastante nova, tendo se tornado profissão regulamentada no Brasil apenas em 1962 – de início, direcionada a atendimentos psicoterapêuticos.

Poucos anos antes, em 1951, a Gestalt-terapia surgiu nos Estados Unidos, com o lançamento do livro *Gestalt therapy*, de Perls, Hefferline e Goodman. Seu aparecimento se deu em meio a uma época de efervescência cultural e no seio dos movimentos de contracultura, focalizando quase exclusivamente o atendimento psicoterapêutico em consultório particular – formato no qual a abordagem chegou ao Brasil em 1974, por meio de uma colega paulista, Thérèse Tellegen, e de uma americana, Maureen Miller.

De lá para cá, a psicologia, de modo geral, e a Gestalt-terapia, em particular, muito evoluíram, ampliando de forma significativa seus campos de atuação.

O objetivo da **Coleção Gestalt-terapia: fundamentos e práticas** é oferecer à comunidade gestáltica (estudantes de Psicologia, especializandos, profissionais da área) informações claras e organizadas para aprofundar e ampliar o saber gestáltico.

Neste quarto volume, visamos focalizar a prática clínica e suas especificidades aplicadas a diferentes grupos (crianças, adolescentes, casais e famílias, grupos e idosos), bem como à saúde pública.

Em virtude de sua relevância para qualquer contexto em que se aplique a abordagem, iniciamos esta obra com o capítulo de Enila Chagas sobre a psicoterapia dialógica – a qual, segundo a autora, está "[...] fundamentada na filosofia do *diálogo* [...] Esse termo não se refere à fala, como pode parecer: o nível mais profundo da existência humana é inerentemente relacional", razão pela qual a relação é, por si só, respeitados os fundamentos da filosofia do diálogo, curativa. Enila discute algumas das importantes concepções da abordagem dialógica, como o conceito de confirmação – muitas vezes confundido com concordância quanto ao que a pessoa faz, quando na realidade se refere à confirmação de quem ela é.

No segundo capítulo, Mônica Botelho Alvim fala sobre o lugar do corpo e da corporeidade na Gestalt-terapia. Tomando por base as ideias de Merleau-Ponty, ela esclarece que o corpo "[...] não se limita à dimensão física ou material de um corpo biológico [...] considera [...] sua condição de organismo vivo com uma natureza que tende ao equilíbrio, se ajusta e comunga com outros organismos de tendências, por assim dizer, universais".

No Capítulo 3, Myrian Bove Fernandes aborda o trabalho psicoterapêutico com crianças, que acontece sobretudo por meio das brincadeiras infantis, a partir das quais os pequenos apresentam seus afetos, temores, conflitos e interesses. Myrian, pioneira na aplicação da Gestalt-terapia ao trabalho com crianças no Brasil e estudiosa do assunto, destaca temas como compreensão diagnóstica e indicação terapêutica, o processo terapêutico e suas especificidades e a questão do término da terapia com crianças.

No quarto capítulo, Rosana Zanella e Sheila Antony apresentam o trabalho com adolescentes, enfatizando dificuldades, questionamentos e conflitos que emergem nessa fase da vida, em que o jovem busca autonomia e liberdade, ansiando por constituir sua identidade. De acordo com as autoras, "o adolescente [...] amplia a capacidade de reflexão devido à crescente expansão da consciência, que lhe permite pensar a si mesmo e ao mundo humano-físico-social com indagações mais profundas e abstratas".

O número de idosos no Brasil e no mundo vem crescendo de forma significativa nos últimos anos, tornando o atendimento dessa população – no consultório, em casa ou em instituições – cada vez mais necessário. No quinto capítulo deste volume, Jorgete de Almeida Botelho apresenta as especificidades desse trabalho na abordagem gestáltica, lançando seu olhar não apenas sobre as dificuldades inerentes a essa fase da existência, mas também sobre as possibilidades de experimentar uma vida mais saudável e prazerosa na velhice.

No Capítulo 6, Teresinha Mello da Silveira trata de um tema cada vez mais frequente em nossos consultórios: terapia de casal e de família. Utilizando a teoria de campo, a autora, estudiosa e precursora no Brasil do trabalho com casais e família, afirma:

A contemporaneidade, caracterizada por rápidas mudanças, instabilidade nos relacionamentos, multiplicidade de opções e desconstruções e reconstruções constantes, deixa marcas também no âmbito familiar. Além disso, na era da comunicação, os conflitos familiares são postos em evidência, destacando acontecimentos que antes eram vividos e resolvidos (ou não) entre quatro paredes.

Diferentemente do trabalho *em* grupo que Fritz Perls e outros gestaltistas da primeira geração realizavam, Selma Ciornai tece, no Capítulo 7, excelentes considerações sobre o trabalho *com* grupos na abordagem gestáltica. Este se baseia numa perspectiva sistêmica, em três níveis diferentes: intrapsíquico, inter-relacional e sistêmico, cabendo ao coordenador escolher o mais adequado para intervir a cada momento, bem como estabelecer pontes entre eles. Além disso, Selma oferece um panorama dos diversos estágios de um grupo, cada um deles demandando e implicando questões diferentes.

Por fim, no último capítulo, Claudia Lins Cardoso fala da aplicação da Gestalt-terapia na saúde pública, área que cada vez mais demanda psicólogos. No texto, Claudia aborda as possíveis articulações entre a saúde e a abordagem gestáltica, partindo de sua experiência como tutora no Programa de Educação pelo Trabalho para a Saúde (PET-Saúde), cujo objetivo é melhorar a formação de profissionais em saúde, mediante grupos de aprendizagem tutorial de natureza coletiva e interdisciplinar, capacitando-os a enfrentar as várias realidades de saúde da população brasileira.

Esperamos que este volume possa contribuir de forma significativa para a atuação dos Gestalt-terapeutas brasileiros nas mais diferentes áreas e populações, fomentando novas ideias.

1
Psicoterapia dialógica

ENILA CHAGAS

Grande parte da história das várias linhas de psicoterapia remete suas origens à filosofia que lhe deu base. Além da busca de fundamentação, há atualmente grande interesse na relação terapeuta/cliente e no processo que se desenrola entre os dois na terapia. Nesse sentido, a psicoterapia dialógica é muito rica, pois parte do princípio de que a própria relação "cura". Friedman, no prefácio de *De pessoa a pessoa* (1995, p. 9), de Richard Hycner, assim a define:

> Psicoterapia dialógica é, para nós, uma terapia centrada no *encontro* do terapeuta com seu cliente, ou a família, ambos como o módulo central de cura, seja qual for a análise, o *role playing*, as técnicas terapêuticas e atividades que possam estar sendo utilizadas. É mais uma abordagem que uma linha psicoterapêutica, porque não pertence a nenhuma escola específica, e cujos representantes e pioneiros encontram-se em muitas das maiores escolas de psicoterapia.

Neste capítulo pretendemos, ainda que de forma breve – diante das características e da importância da dialógica –, tratar de alguns de seus aspectos que influenciaram outras linhas de trabalho, principalmente a psicoterapia e, sobretudo, a Gestalt-terapia.

Trata-se de uma abordagem psicoterapêutica fundamentada na filosofia do *diálogo* – uma psicoterapia dialógica. Esse termo não se refere à fala, como pode parecer: o nível mais profundo da existência humana é inerentemente relacional. Trata-se de um contraste com diversas teorias que colocam, em primeiro lugar, um modelo individualista de pessoa e defendem a existência dos indivíduos como "entidades" separadas, enquanto o relacional é considerado um fenômeno secundário.

É difícil para o homem moderno aceitar que a "individualidade" é apenas um dos polos de uma realidade que, por natureza, é relacional. Por outro lado, em outros "sistemas", como o usado na terapia de família, a teoria tende a obscurecer a singularidade do indivíduo. Em consequência, uma abordagem dialógica necessita de uma mudança radical de paradigma, afastando-se dos modelos do *self* psicologicamente isolado ou de teorias de "sistemas". Entra, assim, no reino do "inter-humano".

MARTIN BUBER: O PROFETA DO ENCONTRO

Ao estudarmos a psicoterapia dialógica, deparamos com uma proposta ampla, cujas raízes são encontradas na filosofia de Martin Buber, considerado um dos grandes filósofos do século XX. De família judaica, esse pensador, nascido na Áustria em 1878, tinha como tema principal o encontro entre pessoas e até mesmo países. Com base em afirmações do próprio Buber, seus biógrafos assinalam a forte relação entre suas teorias e sua vida. Para ele, filosofar só seria importante se fizesse parte da vida diária e tivesse validade para todos os homens.

Buber foi abandonado pela mãe aos 3 anos de idade. Essa dor é apontada como um dos fatores que o levaram à busca permanente do *encontro*. Toda sua vida foi dedicada a esse objetivo. Quando reencontrou a mãe, 20 anos mais tarde, comentou tristemente que, ao tentar olhá-la, ouvia de longe a palavra "desencontro". Educado pelos avós, Buber estudou ciência e literatura. Também as religiões o impressionaram fortemente, de início por meio do avô, figura influente no hassidismo – vertente de renovação do judaísmo que se difundia no Leste Europeu.

Ainda bem jovem, Buber falava várias línguas e servia de tradutor entre pessoas de idiomas diferentes. Essa atividade marcou-o de modo profundo: ele podia sentir a tensão entre o que era ouvido por indivíduos que falavam línguas diversas.

A proximidade da Primeira Guerra Mundial (1914) levou Buber a reflexões sobre "o homem moderno": extrema desilusão, dualismo, separação radical entre ideias e valores e a existência pessoal e abandono do espiritual. Disse ele (1957, p. 95, tradução minha): "Devemos tomar para nós, como tarefa para toda vida, a integridade ferida do homem, pressionando-o a ultrapassar tudo que é meramente sintomático para então atingir a verdadeira doença". Assim, desempenhou arduamente a tarefa proposta, procurando torná-la conhecida de seus contemporâneos na Europa, em Israel e nos Estados Unidos. Suas ideias atraíram estudiosos de diversas áreas, como ontologia, religião e história, além de terem despertado o interesse de psicólogos e psicoterapeutas. Buber atuou por meio de obras bem fundamentadas, discussões públicas, magistério e encontros pessoais (inclusive com Laura Perls). A pedra fundamental de tudo isso foi a exposição de sua ontologia, que sublinhava os princípios da existência e, sobretudo, sua relação com os outros homens – para ele, a única forma de se completar e crescer.

Assim, tentaremos, no correr deste texto, discutir os conceitos de Martin Buber que serviram de base para a construção da psicoterapia dialógica.

O PAPEL DE MAURICE FRIEDMAN

Psicólogo americano de origem judaica, Friedman foi um dos principais interlocutores de Buber, no sentido de compreender o alcance de suas ideias e trazê-las para o âmbito da psicoterapia. Até a morte de Buber (1965) eles se corresponderam e se encontraram com frequência, principalmente em Israel. A convite de Friedman, Buber visitou os Estados Unidos, participando de diversas atividades, incluindo um debate público com Carl Rogers, em que discutiram os sentidos de "confirmação" e "aceitação" na psicoterapia. Em virtude da convivência de Buber com psicólogos americanos e da admiração destes por suas ideias, muitos dos seus princípios influenciaram seus trabalhos. Alguns deles se tornaram "alunos" de Friedman no estudo da dialógica, partindo em seguida para a elaboração de textos e para divulgação da abordagem, inclusive no Brasil. A amizade de vida inteira entre os dois resultou no minucioso relato dessa experiência pessoal e intelectual: a biografia de Buber escrita por Friedman e publicada em 1991

– *Encounter on the narrow ridge – A life of Martin Buber.* Friedman (1991, p. 44) assim resume sua experiência:

[...] Mais do que qualquer outro filósofo ou pensador, Martin Buber foi um sábio e um professor que apontou o caminho para outras pessoas. Por intermédio da resposta pessoal a cada situação em sua vida, ele não se voltou para um amplo sistema filosófico, mas em direção a uma vida de encontro em uma vereda estreita e pedregosa, varrida pelo vento.

Friedman sublinha que, quando o homem tropeça no caminho, é sustentado por braços que se elevam dos abismos, à direita e à esquerda. O homem caminha entre dois abismos que representam o bem e o mal em toda sua extensão. A metáfora é usada em várias ocasiões, com sentidos cada vez mais ricos.

Assim, Friedman indica, seguindo Buber, um dos elementos da postura do terapeuta. O conhecimento técnico é necessário, mas não suficiente para que emirja a *singularidade* – que surge das relações genuínas com os outros e com o mundo. No processo terapêutico, observa-se uma alternância entre separação e relação, *que ocorre no espaço do entre e afeta terapeuta e cliente.*

Repetidas vezes Buber se referiu à caminhada na "vereda estreita" na busca do encontro com o outro. Também chamava sua atenção a figura do caminhante, que seguia "entre dois abismos". Essas palavras contêm uma profunda mensagem para o terapeuta: a caminhada reflete um momento único, vivido entre o que chama e o que é chamado. O profissional não busca respostas em um sistema filosófico, que lhe daria elementos abstratos que não se aplicariam à realidade daquele momento. Caminha onde não há a certeza do conhecimento, mas a certeza de encontrar o que ainda não foi revelado.

Dessa forma, só surgirão respostas entre duas pessoas, o terapeuta e seu cliente, no momento do encontro, em uma relação genuína. "Andar pela vereda estreita e pedregosa, varrida pelo vento" parece indicar a falta de segurança do terapeuta no processo. Ele não tem respostas prontas e se arrisca no encontro com o outro. O que resultará daí é imprevisível, mas existe a confiança de um possível desvelar. Em uma relação genuína (a mais possível para os dois), a terapia acontece no *entre*. É um espaço criado também pelos dois, buscando o mínimo de hierarquia e a maior proximidade possível, que propiciem o encontro.

Parece simples demais reduzir a situação psicoterapêutica a estruturas tão elementares – aquele que chama e aquele que é chamado –, mas estas implicam a existência de um *chamado* e de uma *resposta*. Talvez seja esse "primitivismo" que nos atemorize, criando a resistência. Hycner (1995, p. 96) comenta:

> A elementaridade irrestrita do encontro humano exige que o terapeuta seja, *primeiro*, uma pessoa disponível para outro ser humano e, *segundo*, um profissional treinado nos métodos apropriados da prática psicoterapêutica.

EU-TU E EU-ISSO

Buber se apoiou nas palavras-princípio Eu-Tu e Eu-Isso, sendo *Eu e Tu* o título de um de seus primeiros livros, publicado em 1923. Von Zuben (2003, p. 119) explica a razão do hífen:

segundo Buber, tais palavras-princípio não podem ser proferidas isoladamente, "Não há 'eu' em si; há somente o 'eu' da palavra-princípio Eu-Tu ou o 'eu' da palavra-princípio Eu-Isso". Eu-Tu se refere à forma como um homem se relaciona com outro homem: como um ser sujeito como ele, digno de respeito. Ambos estão disponíveis para o encontro possível, sendo isso necessário para que vivam como seres que se completam. É preciso que ambos estejam disponíveis para esse encontro, que é poeticamente descrito por Buber em seu primeiro livro de sucesso. Já Eu-Isso retrata relações utilitaristas, em que um usa o outro para suas necessidades, desfazendo-se dele depois de atingir seu objetivo. Manter o outro como isso implica uma relação assimétrica e, com frequência, efêmera.

Porém, cabe uma advertência aos terapeutas da dialógica: é comum que o tu torne-se isso em virtude da dificuldade de manter-se dentro da atitude necessária. Na sociedade contemporânea, enfatiza-se a atitude Eu-Isso. Há uma forte obsessão com a dimensão objetiva da existência e a tendência de "coisificarmos" as outras pessoas, e até a nós mesmos, com objetivos utilitários:

> Por força de seu caráter dialógico, a vida humana toca no absoluto. A despeito de sua singularidade, o homem, ao mergulhar nas profundezas de sua vida, jamais consegue encontrar um ser completo em si mesmo que, assim sendo, toque no absoluto. O homem não pode tornar-se inteiro em virtude de uma relação consigo mesmo, mas somente em virtude de uma relação com outro *self*. Esse outro *self* pode ser tão limitado e condicionado quanto ele; no existir juntos, o ilimitado e o incondicionado são experienciados. (Buber, 1965, p. 168)

Uma vivência mais profunda pede que fiquemos abertos também à relação Eu-Tu, que nos leva para além das preocupações limitantes do ego – ou seja, expande nossa consciência e o sentido de nosso lugar no universo (Hycner, 1995).

A PSICOTERAPIA DIALÓGICA

A abordagem dialógica traz importante contribuição para a psicologia com a definição de "patologia": distúrbio que acomete a *existência* da pessoa, impedindo que ela se torne *inteira*. Não se trata de, como foco principal, descobrir as causas e os motivos subjacentes, mas de vê-los em relação àquilo que, dentro da existência humana, precisa permanecer *escondido* – o que é muito profundo e misterioso, talvez vulnerável demais para ficar diretamente exposto à luz da consciência. Por vezes, optar pela não diretividade pode ser uma escolha guiada pelo cuidado com o outro. A condição humana deve, ao mesmo tempo, ser exposta e escondida. A *patologia* surge quando essas dimensões estão claramente desequilibradas.

O conceito de patologia como distúrbio da totalidade da pessoa amplia o trabalho na psicoterapia. Ao mesmo tempo, requer mais segurança do terapeuta, no sentido de esperar o *tempo* do cliente para que o escondido ouse começar a aparecer, no momento em que for possível para ele. Os Gestalt-terapeutas Erving e Mirian Polster (2001) manifestam-se na mesma direção, dizendo que é mais importante cuidar do *contato entre os dois* na psicoterapia do que preocupar-se em investigar dados específicos da vida do cliente. Tal investigação pode significar a *invasão* do outro, que tende a se fechar mais. É a visão ampla da vida do cliente que dá sentido àquilo que ele conta.

Além disso, o conceito de patologia exposto se insere harmonicamente na teoria buberiana. Entretanto, na vida moderna, existe forte interesse pela classificação de doenças, inspirada por manuais de psiquiatria e por outros da área científica. Porém, a experiência clínica põe em xeque esse procedimento como forma de conhecer o cliente e cuidar dele. Não basta usar rótulos para diagnosticá-lo; é preciso vê-lo como uma pessoa inteira.

A preocupação com a "doença" do homem levou Martin Buber a refletir sobre o *ser* e o *parecer*, tema que sempre o acompanhou. O próprio conceito de patologia se prende à dificuldade de distinguir e viver esses aspectos. Todos os seres humanos desenvolvem o *parecer* em algum momento da vida; trata-se de uma questão de sobrevivência social. Mas é possível afirmar que, bem no íntimo, há um clamor por ser visto/reconhecido em sua singularidade, como *ser* único que é. A conexão íntima entre os homens passa pela validação individual, que significa uma *confirmação recebida do outro a respeito de quem ele é, independentemente de como ele pareça em dado momento*. Trata-se de um alicerce firme da psicoterapia, trabalhando o terapeuta com essa *confirmação*. Em consequência, a terapia pode se tornar um modelo para o cliente buscar a confirmação que lhe permitirá se aproximar de si mesmo e de outras pessoas.

A CONFIRMAÇÃO

Trata-se de um dos mais importantes e divulgados conceitos de Buber, tendo alcançado outras psicoterapias além da dialógica. Um dos primeiros cuidados do psicoterapeuta para com o cliente, a confirmação é fundamental para o diálogo genuíno:

> Eu me torno consciente dele, consciente de que ele é diferente, essencialmente diferente de mim, de uma maneira definida e única que lhe é peculiar. Aceito quem assim enxergo de tal forma que posso, plenamente, direcionar o que lhe digo de acordo com a pessoa que é. (Buber *apud* Hycner, 1995, p. 63)

Confirmar o outro significa esforçar-se para se voltar para a outra pessoa e afirmar sua existência única e separada – sua alteridade. Há uma ênfase clara em distinguir *confirmação* de *aceitação*, embora esse possa ser um primeiro passo do processo. *Aceitar* é somente aceitar a pessoa como ela é neste momento, nesta realidade que lhe é própria.

> Talvez, de vez em quando, eu deva fazer oposição cerrada ao seu ponto de vista sobre o assunto de nossa conversa. Mas aceito essa pessoa, o portador de uma convicção; aceito-a em sua forma característica de ser, de onde surgiu esta convicção – ainda que deva mostrar pouco a pouco o erro dessa mesma convicção. Reconheço a pessoa com quem estou lutando: luto com ela como seu parceiro; eu a confirmo como criatura e como criação; eu confirmo aquele que está contra mim, como meu opositor. (Ibidem, p. 62)

O conceito de confirmação teve notável influência na psicoterapia dialógica e entre importantes estudiosos de outras linhas. Hans Trüb (ibidem, p. 67), vindo da análise junguiana, redefiniu suas ideias sobre a relação terapêutica, dizendo: "Como psicoterapeutas, não podemos indicar a verdade que *temos*, mas somente a verdade que buscamos *entre nós*, entre médico e paciente". A falta de confirmação no período de desenvolvimento da criança seria o mais importante fator da formação de neuroses. Além disso, ela é imprescindível durante toda a vida e, sem dúvida, na relação terapêutica de muitas linhas de trabalho.

Não se pode afirmar que a relevância da confirmação tenha se originado apenas na dialógica. Alice Miller (1997), por exemplo, vinda da psicanálise, trabalhou intensamente os efeitos de sua falta na relação mãe/filhos. Hoje, profissionais da psicoterapia dialógica, da Gestalt-terapia e de diversas outras abordagens se preocupam com esse aspecto. Friedman (1991) aborda o tema em profundidade, analisando os efeitos da confirmação, sobretudo na criança e no jovem, pelo que eles *não* são. Muitos pais têm modelos idealizados, às vezes rígidos, para seus filhos. Estes, por sua vez, são confirmados pelo que mostram de acordo com esses modelos. Seu verdadeiro *self* não é tocado: crianças e jovens mais sensíveis, necessitando ser reconhecidos pelos pais de qualquer forma, adaptam-se a suas expectativas. A relação tende a se tornar disfuncional, com graves consequências para o desenvolvimento.

Friedman também se volta para a confirmação, que estuda profundamente: o cliente precisa ser confirmado em sua inteireza e não apenas no que mostra como patologia. Mais: ele precisa ser confirmado de forma clara pelo terapeuta, sem qualquer juízo de valor, como certo/errado e outros. Em geral, o cliente chega com reservas à terapia, temendo passar por rejeições semelhantes às que já viveu. Ao sentir-se verdadeiramente confirmado, abre a porta de seu mundo ao terapeuta e às mudanças possíveis.

A RELAÇÃO DIALÓGICA

A psicoterapia dialógica traz uma série de conceitos teóricos, mas sempre voltados para a *relação*. É com base nela que tentamos compreender a existência humana e também nossa atividade como terapeutas. Ao mesmo tempo, esses conceitos estão intimamente ligados entre si. Precisamos vê-los como um conjunto – uma rede – para tentar penetrá-los em seu sentido mais profundo. Assim, discutir a confirmação implica falar do *diálogo* e da *presença*.

Ao tomar a relação como ponto de partida de suas teorias, foi inevitável para Buber voltar-se para o diálogo. Em vários momentos ele distinguiu diálogo genuíno de diálogo técnico e palavrório. Este último assume a aparência de diálogo, já que duas pessoas estão presentes, mas cada uma quer apenas falar e toma como referência os próprios interesses, sem se preocupar com a outra. O diálogo técnico é somente uma forma de dar notícias de algum assunto, sem se preocupar com o ouvinte. Na verdade, é no diálogo genuíno que existe a verdadeira comunicação, com duas pessoas dispostas a ouvir e a falar, vendo o outro como tu. É essa forma de diálogo que precede o entre e a presença. Ainda assim, é difícil para os participantes se comunicar desse modo todo o tempo. O próprio Buber (1957) admite ser nosso destino que com frequência o tu se converta em isso. Esse destino faria parte da própria natureza humana e da dificuldade do indivíduo de estar permanentemente vivendo diálogos genuínos. Há uma dinâmica constante nesse processo.

A PSICOTERAPIA DIALÓGICA E A GESTALT-TERAPIA

A Gestalt-terapia chegou ao Brasil em 1972, trazida da Inglaterra por Thérèse Tellegen, que formou o primeiro grupo de estudos com profissionais de São Paulo. Daí se espalhou pelo Brasil, atraindo profissionais da psicologia e de outras áreas. A mensagem libertária de Perls era atraente e representava uma tentativa de novos caminhos terapêuticos. A base teórica da abordagem calcava-se no livro *Gestalt therapy*, de Perls, Hefferline e Goodman, publicado em 1951. Em seguida, tivemos visitas anuais da psicóloga americana Maureen Miller a várias cidades brasileiras, trabalhando em grupos permanentes formados pelos psicólogos locais. A relação entre esses grupos representou forte suporte para a divulgação da Gestalt-terapia no Brasil.

Após alguns anos, e nos grupos mais atuantes, surgiram questionamentos relativos a determinados aspectos da Gestalt-terapia – resultado do esgotamento do uso de técnicas e de certa despreocupação com a postura do terapeuta e com os limites do trabalho. Nesse momento, vários psicólogos da abordagem aumentaram seus contatos com outros grupos dentro do país, trocando experiências e material escrito. Buscaram também estudiosos no exterior, procurando aprofundar a base teórica da Gestalt-terapia. No confronto de ideias, ficou claro que profissionais competentes no exterior também se preocupavam com o destino da Gestalt-terapia, com sua prática e com o treinamento de novos terapeutas.

Visando melhorar nosso trabalho e fazer trocas com outros profissionais, constatamos que havia um movimento forte no sentido de colocar a relação como um dos elementos mais importantes da psicoterapia. Nesse momento – década de 1990 –, os primeiros textos da dialógica chegaram ao Brasil, despertando extremo interesse. Por ocasião do III Encontro Nacional de Gestalt-terapia (1991), realizado em Brasília, convidamos Richard Hycner para dar um minicurso sobre o tema. Embora tenha partido de bases diferentes, constatou-se que as duas abordagens poderiam enriquecer-se mutuamente.

Nos Estados Unidos, Hycner, Lynne Jacobs e outros Gestalt-terapeutas tornaram-se alunos de Friedman, tentando compatibilizar certos temas. Porém, embora isso não tenha ocorrido da forma pretendida, pela impossibilidade de fusão entre as duas abordagens, sem dúvida houve ganhos para ambas. Tendo participado de algumas das etapas desse processo, sinto-me feliz ao afirmar que esse encontro teórico-prático contribuiu de modo decisivo para meu crescimento como Gestalt-terapeuta e para o de alunos em treinamento.

Um dos trabalhos mais importantes sobre a conexão entre as duas abordagens é o artigo "Gestalt-therapy: a dialogic method", de Gary Yontef (1993). Ele parte da noção básica de Perls, Hefferline e Goodman sobre Gestalt-terapia: o contato-relacionamento é a primeira realidade (fenomenologicamente), não tendo o organismo significado se separado de seu ambiente. Yontef (1993, p. 203-04, tradução da autora) prossegue buscando definir "diálogo".

> O que é diálogo? O significado comum é conversar juntos. Diálogo existencial é o que acontece quando duas pessoas se encontram *como pessoas*, em que cada uma é "impactada por" e "responde ao" outro, eu e tu. Não é uma sequência de monólogos preparados. É uma forma de contato especializada. É neste último sentido que o

termo é usado em Gestalt-terapia. O diálogo existencial refere-se ao comportamento que compreende o relacionamento Eu-Tu [...].

Mantendo-se fiel a suas origens gestálticas, Yontef avançou sobremaneira na análise da psicoterapia de cada uma das abordagens. Sua descrição do trabalho do terapeuta e de sua relação com o cliente é extremamente rica. Sem estabelecer comparações, ele diz que a figura do terapeuta gestáltico era pouco significativa. O autor preocupava-se com as técnicas aplicáveis ao caso tratado, sempre na tentativa de mudança. Ao contrário, objetivar diretamente a mudança, em vez de reconhecer *o que ela é* e a partir daí crescer, viola tanto a atitude fenomenológica quanto a dialógica. O autor finaliza o texto com um resumo em que caracteriza a Gestalt-terapia como um sistema que combina o diálogo e a fenomenologia numa metodologia clínica aplicada. Entender a metodologia exige o conhecimento de certos conceitos: a fenomenologia, a *awareness*, o fazer contato, o relacionamento existencial, a regulação deverística e organísmica e a terapia sem um agente de mudança. Cabe lembrar que *regulação deverística* ou *shouldism* (termo traduzido com dificuldade para o português) é a tendência do indivíduo de se guiar pelo "tenho de", "preciso de", sempre influenciado pelos mandamentos do grupo em que vive. Embora seja um conceito próprio da Gestalt-terapia, é fácil identificá-lo com vários aspectos da psicoterapia dialógica. Yontef sugere a necessidade de elaborar melhor os temas citados.

O século XXI encontrou na psicoterapia dialógica uma contribuição importante à psicoterapia gestáltica. A postura do terapeuta firmou-se no sentido de cuidar da relação, estar presente no processo, esperar o momento do cliente, compreender que ele "caminha por uma vereda estreita, cheia de pedras, varrida pelo vento". Perdura a insegurança própria à relação, mas com a certeza de que existem um caminho e a confiança para buscá-lo.

REFERÊNCIAS

BUBER, M. "Healing through meeting". In: *Pointing the way*. Nova York: Schocken Books, 1957, p. 93-97.

_____.*The knowledge of man: a philosophy of the interhuman*: Nova York: Harper & Row, 1965.

FRIEDMAN, M. S. *Encounter on the narrow ridge – A life of Martin Buber*. Nova York: Paragon House, 1991.

_____. "Prefácio". In: HYCNER, R. *De pessoa a pessoa*. São Paulo: Summus, 1995, p. 9-13.

HYCNER, R. *De pessoa a pessoa*. São Paulo: Summus, 1995.

HYCNER, R.; JACOBS, L. *Relação e cura em Gestalt-terapia*. São Paulo: Summus, 1997.

MILLER, A. *O drama da criança bem-dotada*. São Paulo: Summus, 1997.

PERLS, F.; HEFFERLINE, R.; GOODMAN, P. *Gestalt therapy*. Nova York: The Gestalt Journal Press, 1951.

POLSTER, E.; POLSTER, M. *Gestalt-terapia integrada*. São Paulo: Summus, 2001.

VON ZUBEN, N. A. *Martin Buber: cumplicidade e diálogo*. Bauru: Edusc, 2003.

YONTEF, G. M. "*Gestalt therapy: a dialogic method*". In: *Awareness, dialogue & process – Essays on Gestalt therapy*. Highland: The Gestalt Journal Press, 1993.

2
O lugar do corpo e da corporeidade na Gestalt-terapia

MÔNICA BOTELHO ALVIM

A Gestalt-terapia compreende a existência como movimento temporal dado no encontro pessoa-mundo. Concebe organismo e ambiente como uma Gestalt, configuração de partes que não podem ser pensadas separadamente, a não ser como abstrações. Isso se expressa na noção de campo organismo/ambiente, a partir da qual se conclui que a existência de um organismo se dá sempre em relação com o ambiente, compondo um campo. A existência é contato, um fluxo temporal ininterrupto dado na experiência no mundo com o outro que tende à geração espontânea de formas.

Tais formas podem ser compreendidas como sentidos produzidos naquela situação, naquele campo organismo/ambiente, sempre expressos corporalmente, por meio de gesticulações – seja uma expressão facial, um olhar, um gesto das mãos, uma palavra dita ou interrompida, um silêncio prolongado. Cada forma expressa uma configuração, sempre provisória, que emana daquela situação de interação e a seguir, diante de outra novidade ou diferença, se desintegra, exigindo um movimento de criação que assimile aquela diferença – reintegrando e configurando uma nova forma, processo que segue, infinitamente, com a vida. Essa é a descrição do processo de contato. A experiência vivida anima movimentos e gestos corporais que expressam, em formas, o sentido em formação no campo.

O campo não é um construto apenas material. O mundo que percebemos tem, além da dimensão física ou material, uma dimensão vital e outra humana, capaz de simbolização, que cria, compartilha e comunica sentidos e significados, construindo uma realidade sociocultural. O campo envolve todas essas dimensões unidas em uma totalidade complexa, compondo nossa experiência perceptiva.

Corpo e mente formam uma totalidade organísmica (Goldstein, 2000) e não podem ser pensados separadamente – nem se sobrepor um ao outro. O corpo é experiência vivida no campo, compreensão que se aproxima da ideia fenomenológica de corporeidade. Tal noção, do ponto de vista da fenomenologia merleau-pontyana, considera a dimensão anatomofisiológica do corpo vivo (*Korper*) e a dimensão vivida do corpo (*Leib*) partes indissociáveis entre si, assim como do mundo. A corporeidade é a experiência vivida do corpo no mundo.

A concepção gestáltica de corpo também não se limita à dimensão física ou material de um corpo biológico, ossos, músculos, órgãos. Considera, também, a vitalidade do corpo, sua condição de organismo vivo com uma natureza que tende ao equilíbrio, se ajusta e comunga com outros organismos de tendências, por assim dizer, universais. O que Perls, Hefferline e Goodman (1997) denominam "animal" faz referência à vitalidade: a fisiologia primária, as funções vegetativas, a dimensão de ajustamento inerente ao conceito de ajustamento criador. A capacidade de orientação e manipulação está ligada à dimensão humana criadora e singular do corpo; este pode se movimentar rumo à criação que restabelecerá o equilíbrio. De acordo com os autores, quando o corpo está em ação e movimento não há separação entre suas partes. Segundo eles, já na Antiguidade Aristóteles afirmava que funções vegetativas, sensação e motricidade são idênticas em ato. Assim, no contato, o corpo é um todo pele, músculos, coração, pulmões, sangue, forças instintivas, crenças, valores, representações inscritas na carne – que é minha e também do mundo. O mundo social, intersubjetivo e intercorporal está presente em mim, no outro e nas coisas, tal como propõe Merleau-Ponty (2000). É uma espécie de fundo anônimo que compartilhamos e de onde brotamos em nossa singularidade e liberdade como diferenciação. Ele se apresenta em nossa corporeidade, em nossos gestos corporais, em nosso modo de perceber, sendo intrínseco a nossos modos de ser e estar no mundo. Perls, Hefferline e Goodman (1997, p. 43) enfatizam a força intrínseca dessa dimensão social: "[...] não se podem considerar fatores históricos e culturais modificando ou complicando condições de uma situação biofísica mais simples, mas como *intrínsecos* à maneira pela qual todo problema se nos apresenta".

Ainda que não haja na literatura fundadora da Gestalt uma demarcação do conceito de corpo, seguindo as pistas deixadas nas obras dos pioneiros (Perls, 2002; Perls, Hefferline e Goodman, 1997) e nos raros escritos de Laura Perls (1992) – autora que muito sublinhou o corpo em nossa abordagem –, tenho esboçado formas e configurações para abordar o corpo e a corporeidade em Gestalt-terapia (Alvim, 2011, 2012a, 2012b, 2014).

A primeira pista é essa noção maior, baseada no pensamento organísmico ou de campo, que nos adverte de que só se pode falar sobre o corpo como uma abstração da situação de interação entre organismo e ambiente, tal como afirmaram Perls, Hefferline e Goodman (1997). Mas é como corpo que habitamos o mundo, interagimos, vemos, sentimos, somos afetados, gesticulamos e nos movimentamos – enfim, fazemos contato.

A segunda pista que seguimos para pensar o corpo em Gestalt-terapia é a afirmação de que o contato envolve *awareness*, sentimento e comportamento motor integrados em um todo no movimento.

O CONTATO COMO CORPO EM MOVIMENTO ESPONTÂNEO

A vida é movimento; a existência, temporalidade; o corpo não é apenas matéria, isolada ou fechada em si, determinada de fora. Tampouco é o centro irradiador que determina as coisas. A corporeidade se faz no movimento, em interação com o mundo e o outro, na história, na sociedade. Isso implica afetar e ser afetado, ver e ser visto, sentir e ser sentido, tocar e ser tocado. Nesse movimento vivo dado no campo organismo/ambiente vai se esboçando um modo singular de ser no mundo, de perceber, um estilo motor de andar, ver, falar, ouvir, se movimentar, capaz de expressão e de transformação. É como corporeidade que se faz e refaz um sentido de si mesmo e do mundo, processo que Távora (2014) denominou *selfing*. É a partir da experiência da fronteira de contato que somos convocados ao movimento criador de novas formas, que, quando compartilhadas, podem se tornar estáveis e sedimentar-se na cultura, transformando o mundo e a história.

Ao descrever o movimento de contato como ajustamento criativo, Perls, Hefferline e Goodman (1997, p. 44) nos dão pistas para pensar a corporeidade: "o contato é *awareness* do campo ou resposta motora no campo". Tal afirmação alude a duas dimensões eminentemente corpóreas: a *awareness* e a ação motora, sendo a primeira um tipo de consciência pré-reflexiva, perceptiva, que envolve sentir, excitamento e formação de *Gestalten* no campo.

A dimensão sensível da experiência é foco da Gestalt-terapia e da fenomenologia. Ambas preconizam a experiência do ser no mundo como a origem da produção de sentidos e enfatizam a corporeidade como espaço e tempo de nascimento do sentido. Merleau-Ponty (1994) propõe como tarefa da fenomenologia recolocar as essências na existência, o que significa dizer que o sentido do mundo não está nas ideias ou no pensamento, mas naquilo que vivemos, naquilo que o mundo representa para nós durante a experiência, antes de qualquer tematização ou reflexão que façamos.

A noção fenomenológica de intencionalidade operante indica a tendência da consciência de operar uma síntese passiva (espontânea) no aqui e agora, quando o sujeito se encontra com uma dimensão nova ou estrangeira do mundo. Trata-se de uma síntese temporal entre o que se apresenta na experiência e os horizontes de passado e de futuro. Dessa síntese surge uma forma que indica o sentido nascente daquela experiência com o novo ou diferente. Esse sentido, que não é da ordem da reflexão, mas é irrefletido, não deliberado, se expressa em nossos gestos corporais.

A noção de *awareness* da Gestalt-terapia está muito alinhada com essa ideia. O sentir implica ser afetado aqui e agora no campo, ou seja, na interação com o outro ou a novidade, mobilizando um excitamento rumo à formação de uma figura no campo. O excitamento mobiliza os movimentos do corpo, que gesticula, se orienta e manipula a situação, exercendo uma ação motora que visa integrar e assimilar a diferença, restaurando o equilíbrio. Na Gestalt que se forma durante o contato, a figura se conecta com o fundo – horizonte de experiências já vividas e de expectativas futuras – e se sustenta nele. Esse processo também é espontâneo e envolve um tipo de passividade, indicando que na organização do campo da experiência não há predominância de partes, mente, corpo, organismo ou ambiente. E, ainda, que o espontâneo em Gestalt-terapia é tanto ativo quanto passivo, um modo intermediário equidistante dos dois extremos.

O modo médio – termo proposto por Perls, Hefferline e Goodman como modo de funcionamento do sistema *self* de contatos – faz referência à voz média, recurso gramatical empregado em ações que não se enquadram na voz ativa nem na passiva. Assim, a Gestalt-terapia assume o campo ou a situação como origem, ultrapassando uma posição dicotômica entre eu e mundo, eu e outro, ressaltando a situação e o processo de produção de sentidos como ação que sofre, descobrir e inventar.

Assim, podemos pensar na *awareness* como um saber que se produz na experiência, quando de modo espontâneo nos sensibilizamos e gesticulamos em direção a algo que está conectado com a necessidade dominante no campo de presença aqui e agora e se torna figura.

Tal gesticulação corporal é expressão espontânea do sentido que a situação vai assumindo para aquele sujeito envolvido no campo, ou seja, um tipo de consciência vivida como corpo que se abre à experiência. Perls, Hefferline e Goodman (1997, p. 45) afirmam: "A figura (Gestalt) na *awareness* é uma *percepção*, imagem ou *insight* claros e vívidos; no comportamento motor, é o *movimento* elegante, vigoroso, que tem ritmo, que se completa etc.". Percepção e movimento, *awareness* e comportamento motor são modos distintos de fazer referência à corporeidade em suas dimensões indissociáveis. Baseada em critérios estéticos, a Gestalt-terapia entende que quando a *awareness* é um livre fluir que dirige a formação de *Gestalten* e o comportamento o movimento tem elegância, vigor, brilho e plasticidade.

Os temas corpo, corporeidade e movimento são centrais no campo da dança. Laura Perls (1992) manteve estreito contato com práticas e linguagens de dança, movimento e corporeidade, trazendo para a Gestalt-terapia elementos daquele campo da arte. Praticou e trabalhou com a euritmia de Jaques-Dalcroze, que harmonizava ritmo e movimento, bem como com o método de Feldenkrais, cujo trabalho está centrado na *awareness* do movimento. De acordo com esse método, o sentir é base para a aprendizagem do movimento, a correção de posturas e a mudança de hábitos. Feldenkrais (1977) discute em suas aulas temas como as relações entre os hábitos automatizados, o pensamento e a *awareness*, visando aumentar a capacidade de percepção de si mesmo. José Angelo Gaiarsa, ao apresentar o livro de Moshe Feldenkrais (1977, p. 11), afirma: "Basta sentir com finura para executar com precisão. Não são dois tempos ou duas fases – são uma só", indicando que a elegância do movimento depende da força da sensibilidade. É no movimento que o corpo do bailarino desenha formas no espaço, produzindo uma escrita poética com a dança. Hubert Godard (*apud* Louppe, 2012, p. 76), outra figura importante nesse campo, afirma que é o movimento que pratica o corpo a cada instante, ou seja, "é a partir da gesticulação que um corpo se inventa de novo, numa gestação perpétua e incessantemente renovada" que também esculpe o mundo.

Merleau-Ponty (1994) abordou o movimento a fundo, tendo-se dedicado ao estudo da espacialidade, da temporalidade e da motricidade. De acordo com ele, o esquema corporal, essa espécie de consciência global do corpo – integração das partes em um todo –, não existe senão ancorada no ambiente. O corpo integra suas partes a si de modo ativo, de acordo com o valor de cada parte para os projetos do organismo naquele momento, o que está estreitamente relacionado à formação de figuras. Se vou subir um morro, meus pés e pernas assumem importância primeira; se alguém pede uma indicação na rua, sou braços e mãos apontando e indicando direções; se estou sofrendo a perda de um ente querido e não vislumbro esperança no futuro, me encolho e me paraliso; ao contrário, se vislumbro algo muito interessante que acontecerá daqui a pouco, sou movimento de expansão. Assim, segundo o filósofo, a espacialidade do corpo não é de posição, mas de situação: o corpo está sempre se ancorando no mundo.

Para Merleau-Ponty (ibidem), a palavra "aqui" designa a ancoragem do corpo em um objeto, objeto esse que só pode se tornar figura privilegiada quando meu corpo "desaparece" no fundo. Se, por exemplo, em uma sala, uma maçã aparece

Modalidades de intervenção clínica em Gestalt-terapia

para mim como figura, esse objeto em direção ao qual me movo para alcançar e trazer à boca aparece e faz desaparecer o restante da paisagem – incluindo o meu corpo, que também desaparece e se torna horizonte, fundo. Perls, Hefferline e Goodman (1997, p. 195) corroboram essa ideia afirmando que, em uma situação de interesse intenso, "não é o 'corpo' que é percebido em absoluto, mas o objeto em sua situação qualificado pelo apetite corporal". Para Merleau-Ponty (1994), o corpo, dotado de intencionalidade, se movimenta "em direção a", espaço corporal e espaço exterior compondo um sistema prático no qual o corpo está polarizado por suas tarefas, diante de figuras privilegiadas que são o polo de sua ação. Quando isso acontece, o corpo é fundo, fora de consciência, *taken for granted*, mas constitui um suporte indispensável para o contato, tal como propõe Laura Perls (1992).

É na ação/movimento que a espacialidade e a temporalidade do corpo se realizam: "o movimento não se contenta em submeter-se ao espaço e ao tempo, ele os assume ativamente" (Merleau-Ponty, ibidem, p. 149), com base em uma "intenção de apreensão" (ibidem, p. 151). Entre os objetos do mundo à volta de determinada pessoa, alguns se apresentam a ela em primeiro plano, como figura, e representam "polos de ação". Assim, combinam determinados valores específicos compondo aquela situação – aberta – que "exige" do sujeito uma resposta à abertura de tal situação, o que equivale à descrição da experiência da fronteira de contato, e o movimento de ajustamento criador. Por exemplo, se vejo uma criança prestes a cair e esse fato assume na minha experiência determinados valores, torna-se um projeto. A criança é um polo de ação, um ponto no horizonte que faz desaparecer o resto da paisagem e para onde me movo, buscando fechar o horizonte futuro que apontava para uma possível queda, impedindo que isso acontecesse. Naquele instante, a criança se destacou e o resto desvaneceu, permitindo aparecer também a potência do meu movimento e, com ele, os sentidos que me fazem e refazem: meu amor pelo outro, minha ação de cuidar – ou, ao contrário, meu excesso de zelo, meu impedimento da experiência de aventura do outro.

A CORPOREIDADE COMO SUPORTE DO CONTATO

Ao longo do processo do contato, tal como descrito por Perls, Hefferline e Goodman (1997), o corpo se apresenta de modos distintos: no pré-contato, é fundo indiferenciado e, com base no que acontece no campo – o id da situação –, o apetite ou excitamento torna-se figura. No contato, o excitamento vai para o fundo e seu fluxo segue em direção a algo que, aos poucos, se delineia de forma mais nítida, fazendo aparecer em primeiro plano o objeto-figura. O fundo-corpo está diminuído e as possibilidades do ambiente avolumadas, "as emoções assumem o comando da força motivadora dos anseios e dos apetites" (ibidem, p. 222). Já no contato final ocorre um estado de absorção no objeto-figura, um sentimento sem *self*, esquecido de si, uma qualidade não mais dinâmica de movimento, mas estática ou final – indicando que nesse momento há um relaxamento de toda deliberação e a ação é espontânea e unitária: um todo envolvendo percepção, movimento e sentimento.

Assim, no processo de contato, é como corporeidade que percebo as necessidades dominantes no campo, sinto, oriento-

Modalidades de intervenção clínica em Gestalt-terapia

-me e movimento-me para manipular a situação, retomando o equilíbrio e a integração, assimilando a novidade.

Quando, diante de uma novidade, o interesse é vívido e a figura é forte, significa que esta corresponde à necessidade dominante no campo. O fluxo de *awareness* está desimpedido e as dimensões do sentir, do excitamento e da formação de *Gestalten* movimentam o processo de contato. Nesse caso, a figura ancora o corpo, que desaparece no fundo da percepção, mas está presente, apoiando a ação. O movimento é fluido e organiza o sistema *self* de contatos, mantendo a plasticidade da estrutura organismo/ambiente.

O suporte emerge do fundo, daquilo que foi antes assimilado, tendo se tornado hábito, incluindo alguns automatismos que facilitam o contato. É nesse sentido que Laura Perls (1992, p. 4) afirma que o corpo é um sistema de suporte que provém sustentação a partir da respiração e de sua base (pés, pernas e quadris) para que "a parte superior do corpo permaneça livre para orientar e manipular". Tais funções, enfatizadas pela autora, referem-se à capacidade de lidar com o outro, o diferente, a novidade. A respiração é uma função fisiológica que envolve troca constante e intensa com o ambiente. Quando há excitamento, a respiração se intensifica, o movimento de abertura em direção ao mundo é fluido. Quando o excitamento é inibido, a respiração fica contida, o movimento de expansão para o mundo se interrompe, o excitamento é sentido como ansiedade.

Quanto mais suporte o sujeito tem, maior é sua capacidade criadora e singular, o que lhe permite desenvolver um estilo. Laura Perls (ibidem, p. 86) define estilo como "um modo mais integrado de funcionamento, comportamento e expressão". Para ela (idem), o estilo é um modo único de fazer contato e pode ser "intensamente pessoal, um desenvolvimento individual único", ainda que também se possa atribuir estilo a grupos e classes, movimentos artísticos e períodos da história. A autora propõe que o propósito da terapia seja "estabelecer e desenvolver estilo, isto é, um modo integrado e integrador de expressão e execução dos movimentos e gestos" (idem).

Uma noção semelhante de estilo está muito presente nas discussões de Merleau-Ponty (1991) sobre a arte e está envolvida com um tipo de pensamento que não toma o referencial de adequação como critério de verdade. O estilo é entendido nesse filósofo como um sistema de equivalências perceptivas que nasce espontaneamente do trabalho do corpo, uma intencionalidade motora, um trabalho dos olhos e das mãos. Esses olhos e mãos que olham, gesticulam, desmontam e remontam o mundo têm o poder de, tal como o artista, desatar o laço costumeiro das coisas. Trabalho que vai compondo um modo singular de perceber, um sistema de equivalências perceptivas que se mostra na obra e, eu diria, no estilo de existir dado na espontaneidade do corpo que constrói uma obra existencial. Estilo que se mostra na vida e no modo de fazer contato.

Laura Perls (1992) ressalta a importância de o terapeuta atentar para as atitudes que se tornaram códigos não escritos de comportamento social e pessoal: hábitos, maneiras e maneirismos. Laura define hábito como padrões pessoais de comportamento, modos de fazer contato que se tornam automáticos. Se facilitam o contato, configuram-se como suporte; se, ao contrário, o bloqueiam, configuram-se como de resistência.

Diversos filósofos, antropólogos e sociólogos desenvolvem a noção de hábito em suas reflexões sobre o corpo e a cultura. Ainda que com diferenças e nuanças, em geral o corpo é considerado dimensão fundamental na formação do mundo e da cultura. Marcel Mauss (2003) introduziu o conceito de *habitus* ao escrever sobre as técnicas do corpo. Pierre Bourdieu (2002) desenvolveu a noção de corpo socialmente informado, considerando o hábito um princípio gerador das práticas sociais. Merleau-Ponty (1991) sublinha a dimensão habitual do corpo como uma zona quase impessoal que incorpora, ainda que mantendo um estilo próprio, o que está sedimentado na cultura. Nessa perspectiva, tal como propõe Mauss, o corpo é simultaneamente o objeto original sobre o qual o trabalho da cultura se desenvolve e a ferramenta original com a qual aquele trabalho se realiza (Mauss *apud* Csordas, 2008, p. 109).

Compartilhamos formas de perceber, sentir e interpretar o mundo, formas essas forjadas na cultura: jovens que falam e se comunicam de determinadas maneiras, povos de diferentes culturas, grupos de diferentes bairros e condições sociais que gesticulam de maneiras distintas e se dirigem ao mundo de modo corporalmente característico, sentindo, pensando e gesticulando.

Laura Perls (1992) distingue maneira de maneirismos. As primeiras são hábitos pessoais geralmente aceitos que implicam a facilitação do contato. Muito frequentemente adquiridos por introjeção, sem que se esteja ciente de seu significado e propósito, podem ser figura no trabalho terapêutico quando a situação o exige.

Os maneirismos, por outro lado, originalmente conscientes, são dispositivos que, quando automatizados, parecem exagerados e desproporcionais ao contato a que eles supostamente dariam suporte. Ainda assim, argumenta a autora, podem fazer parte do estilo de uma pessoa ou grupo se forem integrados ao fundo da sociedade – por exemplo, se dão suporte a um contato desejado por aquela sociedade ou classe. Como exemplo, pensemos em certos códigos gestuais de etiqueta social, como segurar uma xícara de chá, nos códigos que orientam o desfilar de modelos numa passarela, ou ainda os passos de dança de determinado ritmo musical em uma cidade, como o *funk* no Rio de Janeiro.

Assim, no maneirismo o corpo é a meta e não o fundo. Para adquirir aquele gestual é preciso treinar, repetir os gestos várias vezes. Quando me movimento com uma espontaneidade motora que me conecta com a situação e exige de mim um modo de resolução, o movimento é concreto e centrífugo; meu corpo é uma espécie de veículo do movimento, desaparece no fundo e seu projeto motor visa ao mundo ou ao outro. Quando executo um movimento calculado, estudado, trabalhado, o corpo – movimentando-se e gesticulando de determinada forma – é a meta da ação, sendo o movimento centrípeto. Aquele que, na vida cotidiana, gesticula com maneirismos exerce um papel desconectado da situação; estamos diante de um movimento desintegrado, de uma existência cujo fluxo está impedido.

O corpo só aparece como figura e como dimensão isolada quando não está integrado à situação, quando há rompimento da totalidade mente/corpo/mundo. Nesse caso, o fluxo de *awareness* está impedido e o excitamento não pode fluir em direção à figura de interesse. A estrutura figura-fundo é pouco nítida, sem brilho ou vigor, e o movimento perde elegância, se torna mecânico ou repetitivo. A musculatura que se contrai para impedir o excitamento de fluir pode se tornar uma forma fixada, espécie de fisiologia secundária, crônica e inconsciente. Quando essa fisiologia substitui a espontaneidade motora dada pela função ego do sistema *self* de contatos, está instituída a situação neurótica, tal como a define a Gestalt-terapia (Perls, Hefferline e Goodman, 1997).

Perls, Hefferline e Goodman (ibidem, p. 233, 252) afirmam que o momento de interrupção do processo de contato caracteriza hábitos neuróticos específicos: antes da nova excitação, durante a excitação, confrontando o ambiente, durante o conflito e o processo de destruição ou no contato final. O esforço muscular de contração que visa inibir o fluxo do excitamento está sempre presente, criando uma oposição entre forças de expansão e contração e resultando quase sempre em dores e tensões musculares. Esses são hábitos inacessíveis, uma fisiologia secundária.

Assim, na situação de neurose, o fluxo de formação de figuras está emperrado, pois o excitamento que alimenta esse processo encontra-se bloqueado por uma ação muscular impeditiva que se tornou inconsciente. Um hábito corporal de cerrar o maxilar, apertar os lábios, contrair os olhos, a garganta etc. impede o fluxo do excitamento proveniente de determinada necessidade que permanece no fundo.

Diante de *Gestalten* inacabadas, o fundo perde a homogeneidade, não podendo dar suporte à emergência de uma figura nítida, forte e bem definida.

Nas situações de conflito, o fundo encontra-se perturbado; o que está em jogo são as premissas da ação, ou seja, necessidades, imagens de si, valores, expectativas sociais, moral introjetada etc. que não têm harmonia entre si, gerando movimentos hesitantes, que vão e vêm – sem vigor, elegância nem plasticidade. As figuras que emergem nessas situações são fracas, débeis e inexpressivas, não correspondendo à necessidade dominante no fundo. Nesses casos, um falso conflito pode dar lugar ao conflito original, proporcionando um ajustamento provisório, uma organização frágil do sistema *self*. Perls, Hefferline e Goodman (1997) apontam a dúvida obsessiva como um exemplo de falso conflito.

Em suma, quando o fluxo de *awareness* está impedido, as dimensões do sentir, excitamento e formação de *Gestalten* estão prejudicadas, tal como descrevemos sinteticamente a seguir:

Sentir

A dimensão do sentir ligada a aceitar a afetação sofrida quando da experiência da fronteira (Alvim, 2014) está prejudicada ou perdida, prevalece um estar desconectado do mundo e da situação presente, podendo haver algum grau de dessensibilização ao campo. Não há abertura para o que acontece aqui e agora, o que se mostra na situação terapêutica. Há fixações e tensões musculares crônicas (sensação de emergência crônica com propriocepção reduzida, percepção aguçada). Tensões e dores predominam nas sensações corporais.

Excitamento

O excitamento, ligado à direção expansiva ao mundo e à formação de figura no campo, está prejudicado. Tal como discutimos antes, o excitamento é impedido por fixações e tensões musculares que se tornaram inconscientes, formas fixadas que impedem seu fluxo, havendo predomínio de movimentos de contenção, com prejuízo dos gestos de expansão.

Formação de *Gestalten*

A dimensão da formação de *Gestalten*, que reúne em um todo significante uma figura de interesse sustentada sobre o fundo do corpo vivido e do excitamento, está prejudicada pelo impedimento do fluxo. Em consequência desse processo, as *Gestalten* que se formam são fracas, sem brilho ou vigor, pouco definidas.

Isso se expressa na ação corporal, que se apresenta com gestos vacilantes, entrecortados, letargia, pouco interesse, contraste entre o conteúdo da fala e a forma do gesto, não havendo elegância no movimento.

Também podem surgir figuras fortes, mas que se apresentam como falsos conflitos, podendo ser expressas por movimentos de verbalização excessiva, fala retórica, repetitiva, gesticulação intensa, assim como expressões emocionais. A fala pode ainda se apresentar em elipse, suprimindo conteúdos. A emoção como força motivadora que via de regra sinaliza a dominância pode estar também exagerada ou impedida.

Quando as emoções estão impedidas e predomina a racionalização, os movimentos são mecânicos, automáticos, repetitivos, desconectados do campo e da situação terapêutica.

O processo de produção de sentidos, dado na corporeidade, no movimento de agressão, com assimilação ou alienação, está prejudicado. Há fixação e perda da capacidade criadora e inventiva de formação de formas-sentido. A personalidade deixa de ser uma função-processo para transformar-se em um objeto, um conjunto de introjetos.

A terapia visa restabelecer o fluxo da *awareness* para resgatar a espontaneidade, ou seja, ações motoras criadoras, orientadas para as figuras formadas a partir da necessidade dominante no campo, permitindo o crescimento e a formação de novas representações. O objetivo é restaurar o funcionamento pleno do sistema *self* de contatos, a partir das funções id, ego e personalidade.

A TERAPIA COMO EXPERIMENT-AÇÃO:
MOVIMENTO CRIADOR A PARTIR DO CORPO SENSÍVEL

O método terapêutico preconiza concentrar-se na estrutura da situação concreta e convidar o cliente a uma presença sensível que lhe permita perceber como se sente e gesticula aqui e agora comigo (terapeuta). Na situação terapêutica, cliente e terapeuta compõem um campo de experiência aqui e agora, envolvidos numa relação de alteridade. Nesse encontro com o outro corpo que é, ao mesmo tempo, semelhante e diferente, há experiência de fronteira e contato como ajustamento criador.

A terapia deve concentrar-se na estrutura da situação concreta para perceber e trabalhar sua unidade e "desunidade", visando restaurar o fluxo de *awareness*. Buscando o engajamento de terapeuta e cliente na situação, quer presentificar as fixações e tensões que impedem o excitamento de fluir, ampliando a percepção de si como corporeidade. De acordo com Laura Perls (1992, p. 13), "o *continuum* de *awareness* se desenvolve quando se removem ou dissolvem as barricadas, as tensões musculares, as interferências, as Gestalt fixadas. Concentra-se nas *Gestalten* fixadas e em como isso ocorre". O trabalho terapêutico deve contatar esses hábitos gradual-

Modalidades de intervenção clínica em Gestalt-terapia

mente, para que o cliente tolere a ansiedade oriunda do enfrentamento da nova situação – lembrando que, se a situação de vida não oferece condições mínimas de suporte, esse trabalho pode não florescer.

O foco no aqui e agora e na percepção da forma que se apresenta na situação dirige o trabalho. O terapeuta se conecta com a forma por meio da própria corporeidade, implicado na situação terapêutica, aqui considerada uma situação de interação, campo de presença e de experimentação. Convida o outro a retornar à experiência sensível, para resgatar a dimensão do sentir e se abrir à experiência da fronteira de contato engajado na situação, com sua presença sensível e corporal.

Assim, o trabalho com a corporeidade implica o terapeuta em uma escuta com o corpo, experiência que denomino estética, com base nos diálogos com a arte que venho estabelecendo em outros estudos e pesquisas (Alvim, 2007, 2012a, 2014). A experiência estética distingue-se da leitura intelectual; é um tipo de percepção que se abre à experiência do outro, não o reduzindo a um objeto que conceituo, classifico ou interpreto. A percepção estética é aquela que busca a verdade (ou essência) do objeto, assim como ela é dada imediatamente no sensível (Dufrenne, 2004, p. 80).

A noção de id da situação, proposta por Perls, Hefferline e Goodman (1997), faz referência ao fundo indiferenciado de possibilidades, situações inacabadas, sensações, afetos. Fenômenos que ainda não podem ser nomeados, portanto, como isso (função id). Essa dimensão sensível e pré-reflexiva dada na situação ou no campo durante o pré-contato consiste em um estado de indiferenciação do campo de experiência do qual ambos, terapeuta e cliente, fazem parte.

A fonte do excitamento está no id da situação, não havendo por isso contato. Não está em alguma profundeza do eu ou no inconsciente, tampouco no estímulo do ambiente, mas na situação concreta. A função id do sistema *self* de contatos parte da corporeidade como fundo de onde emerge o excitamento para a formação da figura. Assim, o id da situação dá indícios da necessidade dominante, sendo, tal como compreendo, ponto de partida do diálogo terapêutico – fundado no contato e na experiência irrefletida, um diálogo entre corpos em que o ponto de partida é a presença sensível na escuta e na fala.

Nessa presença sensível podemos encontrar os meios para relacionar a figura fraca de primeiro plano com o seu fundo, "trazer o fundo mais plenamente para a *awareness*", tal como nos recomendam Perls, Hefferline e Goodman (1997, p. 217). Relacionar a figura com seu motivo faz surgir novos excitamentos que movimentam o campo e exigem um trabalho; as figuras fracas tornam-se desinteressantes e a experiência se aviva.

A Gestalt-terapia é, assim, uma política da experiência que trabalha com esse movimento dialético de identidade e diferença entre corpos que gesticulam espontaneamente um em direção ao outro, compondo "uma unidade que se apoia sobre as realidades das diferenças entre o eu e o tu" (Buber *apud* Holanda, 1999, p. 6).

O sentir se dá no campo do aqui e agora, no encontro com o mundo e com o outro, quando temos uma consciência fugidia e escorregadia da experiência. É apenas na relação com outrem que passo de tal consciência escorregadia, desse sentimento fugaz de possibilidade, a uma concretude da realização daquilo que sinto (Merleau-Ponty, 2000). Antes de ver o outro como pensante, vejo-o como sujeito estesiológico, que como corporeidade está engajado no mundo, sente, é afetado, se move e olha. Quando ele olha para a mesma paisagem que eu, move-se em direção ao mesmo lugar que eu ou diz algo que eu estava apenas formulando, minhas sensações ganham concretude no mundo e percebo que aquilo que vejo e sinto é humano, visível e sensível.

Em nossa experiência com o outro, além de compartilhar uma natureza dada pela dimensão fisiológica do corpo e uma condição existencial de ser um corpo que vê e é visto, sente e é sentido, também compartilhamos uma dimensão sociocultural; ambos pertencemos a um mesmo fundo, um tempo sócio-histórico, uma cultura de onde brotamos como singularidades. Tal dimensão se apresenta em nós, corporalmente; em nossas formas de perceber, sentir, agir e falar, sendo parte de um fundo invisível que Merleau-Ponty (1994) denomina "anônimo" para indicar que não é pessoal – não pode ter um nome, pois é de todo mundo e de ninguém. Tampouco pode ser qualificada ou predicada, pois é pré-reflexiva. Tal dimensão liga-nos uns aos outros e nos proporciona a sensação de ser parte de um mesmo mundo, compartilhando a mesma carne, nascendo do mesmo solo, um terreno comum de humanidade que ambos habitamos e experienciamos como *ethos*, lugar de acolhimento e pertencimento, morada (Alvim e Castro, 2015).

Compartilhamos formas de sentir diante da violência, do abandono, da solidão, dos perigos, do ser amado, do nascimento, da morte. Essas formas de sentir são sobretudo corporais e gestuais, compartilhadas e reproduzidas na cultura, como hábitos que portam sentidos. Perls, Hefferline e Goodman (1997, p. 212) afirmam a esse respeito:

> Uma emoção é a *awareness* integrativa de uma relação entre o organismo e o ambiente. Como tal, é uma função do campo [...] numa situação emocional, a emoção não é sentida até que aceitemos o comportamento corporal correspondente – é quando cerramos o punho que começamos a sentir a raiva.

A experiência da alteridade é também diferença e estranhamento. Descentra-nos, provocando desequilíbrio e desintegração que exigem um trabalho, práxis do corpo. Essa práxis é movimento criador, um exercício de liberdade que nos coloca na dimensão da singularidade. Assim, com nossas ações criadoras no exercício da liberdade que nos dá identidade e um nome próprio, transformamos e refazemos o mundo e a cultura.

O apelo ao poiético que faço em meus diálogos com a arte envolve a compreensão de que a clínica comunga do potencial da arte moderna e contemporânea: ser uma política da experiência, do corpo e da criação. É com esse horizonte que entendo que o diálogo clínico, baseado na alteridade, precisa, em alguns momentos, provocar um "desajustamento criador" (Alvim, 2014) que impulsione a criação: que desnaturalize o olho, descentre a percepção e valorize a experiência da estranheza para acordar o corpo, gerando movimentos e ações criadoras.

O terapeuta tem como tarefa convidar o outro para uma experiência estética que se dirija para o âmbito do sensível e do corpo, desviando o diálogo de uma fala emitida pelo eu-

-personalidade, racionalizada, para uma fala espontânea que seja forma vibrante emergindo do campo em resposta à situação presente.

É preciso abrir-se à diferença e à singularidade do outro, permitindo que o excitamento produzido na experiência da fronteira não seja impedido pelo pensamento, pela moral ou por introjetos, mas flua na direção indicada pela espontaneidade motora com suporte, com base, integrado ao campo e ao estilo singular do sujeito, gerando assimilação e crescimento.

Propomos um diálogo terapêutico que seja "pro-vocação", ou seja, em prol da voz e da fala instituinte, revolvendo as camadas sedimentadas que mantêm a vida inerte e repetitiva e provocando desvios, abrindo veredas no grande sertão.

Na história da Gestalt-terapia, desenvolveu-se uma falsa dicotomia entre frustração e suporte. O desajustamento criador (Alvim, 2014) visa frustrar a forma repetida, afirmando o que está presente na situação: a forma fixada, a figura sem brilho – convidando o outro a buscar no fundo do campo, no id da situação, as motivações que sustentam a figura presente.

Afirmar a existência, entretanto, não é só admirar e fruir a forma vigorosa e plástica. É também enxergar a monotonia, a desarmonia da forma enrijecida. Valorizar e reconhecer a potência plástica dessa forma – a melhor forma que pode ser construída em algum momento do passado e a única que parece estar disponível agora – é que oferece o suporte para que ela possa ser assumida e vista, experimentada agora. Afirmar a existência significa também [...] romper a monotonia da repetição neurótica, frustrando o que se repete através da afirmação daquilo que está presente na situação [...]. (Alvim, ibidem, p. 305)

Lilian Meyer Frazão e Karina Okajima Fukumitsu (orgs.)

O trabalho terapêutico que visa ao fluxo de *awareness* e à criação não prescinde do desenvolvimento de funções de suporte, tarefa que depende do apoio do terapeuta e de sua capacidade de *awareness* e de conexão com o que se apresenta – assim como do que o cliente tem disponível e de que tipo de suporte lhe falta, tal como recomenda Laura Perls (1992). Ela fala de suas ferramentas:

> Cada terapeuta desenvolve um estilo próprio: eu – com um *background* de música, euritmia, dança moderna, abordagens corporais ocidentais e existencialismo tanto oriental como ocidental, familiaridade com diversas línguas e sua literatura – trabalho muito com *awareness* corporal, respiração, postura, coordenação, continuidade e fluidez no movimento, expressão facial, gestos, voz. (Ibidem, p. 86)

Diversos Gestalt-terapeutas, assim como Laura, visam diretamente à *awareness* corporal, trabalhando com respiração, movimento, postura. Cito como referência atual Ruella Frank (dançarina, coreógrafa e Gestalt-terapeuta) que investigou as experiências de movimento ao longo do desenvolvimento buscando compreender sua contribuição para a função organizadora do sistema *self*. Seu método de trabalho parte do movimento, com exercícios inspirados em padrões infantis, visando a mudanças no sistema neuromuscular das crianças com o desenvolvimento de flexibilidade e força, ampliação de *awareness* e mudança nos padrões de respiração, gesticulação, postura (Frank, 2001). Susan Gregory, também radicada nos Estados Unidos, é cantora lírica e Gestalt-terapeuta, tendo desenvolvido trabalhos ligados a respiração, voz, postura e movimento. No Brasil, vários Gestalt-terapeutas trabalham nessa direção, promovendo diálogos com diversos autores de teorias e práticas corporais. Cito, a título de exemplo, alguns deles: Fatima Martuccelli (São Paulo), Rosa Cristina Cavalcante (Rio de Janeiro), Nayla Reis e Maura Alves (Brasília).

Laura Perls, que foi grande responsável pela ênfase na *awareness* corporal no método da Gestalt-terapia, não é a única influência. Tanto Fritz Perls quanto Paul Goodman, de modos diferentes, foram muito inspirados pelas propostas de Wilheim Reich. No entanto, o trabalho corporal nos moldes de uma terapia com o corpo não é a característica definidora do método psicoterápico da Gestalt-terapia.

O trabalho, tal como proposto originalmente na literatura fundadora, se dá no diálogo terapêutico a partir da situação concreta, aqui e agora, buscando liberar o fluxo da *awareness*. Trabalhar o desenvolvimento de suporte demanda ampliar a percepção de si como corporeidade, ou seja, como corpo vivido no mundo com o outro, corpo que sente, se afeta, se excita e tem a potência de agir para transformar o mundo e a situação. Trabalhar a *awareness* é trabalhar a corporeidade.

Partindo da compreensão da corporeidade no contato e na neurose aqui desenvolvida, as diretrizes de uma ação terapêutica coerente com essa compreensão podem ser assim sintetizadas:

- Visamos a que a pessoa amplie a percepção de si como corporeidade, ou seja, perceba-se aqui e agora nessa situação.
- Estabelecer um contato da pessoa com a situação implica assumir que eu, terapeuta, faço parte da situação, sendo, para ela, um outro, apresentando-me como identidade e diferença. Sou outro corpo que, como o

cliente, pode ver e ser visto, sentir e ser sentido, agir e sofrer a ação.

• É preciso convidá-la para uma presença sensível, que lhe permita perceber como se sente e gesticula aqui e agora comigo na situação. Esse convite para conectar-se com o corpo/sensível é feito com meu (do terapeuta) corpo/sensível na situação. Escutando com o corpo, por meio de uma experiência estética diante do outro (cliente), buscando a verdade no sensível, percebo as *Gestalten* fracas, os falsos conflitos e, sobretudo, os débeis sinais da dominância na situação. Ao mesmo tempo, vou sinalizando para ela isso que *vejo sentindo*: como você se sente agora, há alguma sensação ou afeto presente quando fala disso? Algo diferente se passou agora? Nota esse movimento do pé? Noto sua fala entrecortada, o que está acontecendo agora? Percebi surgir aqui uma tristeza, uma alegria, um ar solene.

• Nada disso está orientado pelo pensar racional, mas por uma experiência estética e sensível que me dirige para algumas figuras no campo – apoiadas no fundo de minhas experiências com essa pessoa, no fundo da minha formação teórica, profissional e de vida, no fundo comum que compartilho com essa pessoa sendo um corpo biopsicossocial-espiritual que emerge desse campo e de um mesmo tempo sócio-histórico.

• Orientando minha ação terapêutica pelo id da situação, convido a pessoa a entrar em contato com a dominância, com o fundo da situação, trazendo-o mais plenamente para a *awareness*.

• Esse é um convite e meus sinais não são regras ou critérios de verdade, mas apenas perspectivas. Quando essas intervenções terapêuticas sinalizadoras encontram eco na outra pessoa, na necessidade dominante, elas provocam uma experiência, uma novidade na situação que denomino desajustamento criador. Nessa situação, meu sentir se encontrou com o dela.

- A aposta é que uma experiência atual de diálogo aqui e agora comigo permita ao cliente enfrentar o conflito entre a necessidade e o excitamento e as premissas da sua ação (moral introjetada, "deverias", crenças, valores) e possa trazer o fundo mais plenamente para a *awareness*, fazendo surgir novos excitamentos e emergir uma figura forte que tenha correspondência com a necessidade dominante no fundo.

- Liberando o fluxo do excitamento e gerando movimentos plásticos e elegantes, integrados com o campo, há crescimento e formação de novas representações e o sistema *self* de contatos funciona plenamente a partir das funções id, ego e personalidade.

Esse modo de considerar a corporeidade na clínica gestáltica é capaz de nortear diversas formas metodológicas adotadas ao longo de um processo terapêutico ou até mesmo de uma sessão de terapia. As intervenções terapêuticas podem, assim, assumir diversas formas, de acordo com o estilo do terapeuta e os recursos disponíveis no fundo de sua experiência. Cito a seguir algumas dessas formas:

- A experimentação com base na presença e nas vivências no campo e na relação psicoterápica.
- O trabalho numa abordagem mais dialógica, centrada na fala.

- O uso de experimentos clássicos, tais como a cadeira vazia, o trabalho com sonhos, a fantasia dirigida.
- A utilização de recursos expressivos como dramatizações, desenho, pintura.
- A metodologia da arteterapia gestáltica.
- O trabalho de *awareness* corporal com respiração, movimento, postura, massagens.

É fundamental sublinhar que todas essas modalidades de trabalho são proposições que visam propiciar a experiência no aqui e agora, e não técnicas a ser aplicadas. Precisam estar sempre orientadas pela necessidade singular de cada pessoa em cada momento da sessão ou do processo terapêutico. Não são técnicas, mas possibilidades de trabalho que respondam ao que se apresenta como necessidade no campo. Em todas elas, o alvo é aquilo de mais essencial no trabalho gestáltico: integração de sentimento, ação e pensamento no campo organismo/ ambiente, restaurando o fluxo de *awareness* e a capacidade de criação que permita uma existência fluida e plástica.

Tudo isso nos leva a retomar a ideia de Laura Perls de que o propósito da terapia seja desenvolver estilo, um modo integrado e integrador de expressão e execução dos movimentos e gestos.

Concluímos sublinhando o caráter ético, estético e político da Gestalt-terapia, essa proposta psicoterápica que visa à singularidade da espontaneidade corporal e propõe a experimentação no diálogo terapêutico como um convite-desafio de viver *a* diferença e *na* diferença. Para que, "con-fiando" e dançando com o outro, se possam desenhar novas formas no espaço-tempo da vida.

Modalidades de intervenção clínica em Gestalt-terapia

REFERÊNCIAS

ALVIM, M. B. "Experiência estética e corporeidade: fragmentos de um diálogo entre Gestalt-terapia, arte e fenomenologia". *Estudos e Pesquisas em Psicologia* (on-line), v. 7, 2007, p. 12.

_____. "O lugar do corpo em Gestalt-terapia: dialogando com Merleau-Ponty". *IGT na Rede*, v. 8, 2011, p. 228-38.

_____. "A clínica como poiética". *Estudos e Pesquisas em Psicologia* (online), v. 12, 2012a, p. 1007-18.

_____. "Corpo, corporeidade". In: D'ACRI, G.; LIMA, P.; ORGLER, S. (orgs.). *Dicionário de Gestalt-terapia: gestaltês*. 2. ed. São Paulo: Summus, 2012b, p. 60-64.

_____. *A poética da experiência: Gestalt-terapia, fenomenologia e arte*. Rio de Janeiro: Garamond, 2014.

ALVIM, M. B.; CASTRO, F. G. *Clínica de situações contemporâneas: fenomenologia e interdisciplinaridade*. Curitiba: Juruá, 2015.

BOURDIEU, P. *Esboço de uma teoria da prática - Precedido de três estudos de etnologia Kabila*. Oeiras: Celta, 2002.

CSORDAS, T. J. *Corpo/significado/cura*. Porto Alegre: Ed. da UFRGS, 2008.

DUFRENNE, M. *Estética e filosofia*. São Paulo: Perspectiva, 2004.

FELDENKRAIS, M. *Consciência pelo movimento*. São Paulo: Summus, 1977.

FRANK. R. *Body of awareness: a somatic and developmental approach to psychotherapy*. Gouldsboro: The Gestalt Press, 2001.

GOLDSTEIN, K. [1939] *The organism: a holistic approach to biology derived from pathological data in man*. Nova York: Zone Books, 2000.

LOUPPE, L. *Poéticas da dança contemporânea*. Lisboa: Orfeu Negro, 2012.

HOLANDA, A. "Sobre o diálogo e o dialógico: o encontro como dimensão do humano". *Boletim de Gestalt-terapia*, ano IV, n. 7, maio 1999.

MAUSS, M. *Sociologia e antropologia*. São Paulo: Cosac & Naify, 2003.

MERLEAU-PONTY, M. [1960] "A linguagem indireta e as vozes do silêncio". In: *Signos*. São Paulo: Martins Fontes, 1991.

_____. [1945] *Fenomenologia da percepção*. São Paulo: Martins Fontes, 1994.

_____. *O visível e o invisível*. São Paulo: Perspectiva, 2000.

PERLS, F. [1942] *Ego, fome e agressão: uma revisão da teoria e do método de Freud*. São Paulo: Summus, 2002.

PERLS, F.; HEFFERLINE, R.; GOODMAN, P. [1951] *Gestalt-terapia*. São Paulo: Summus, 1997.

PERLS, L. *Living at the boundary*. Nova York: The Gestalt Journal Press, 1992.

TÁVORA, C. B. "Self e suas funções". In: FRAZÃO, L. M.; FUKUMITSU, K. O. (orgs.). *Gestalt-terapia: conceitos fundamentais*. São Paulo: Summus, 2014.

3
Psicoterapia com crianças

MYRIAN BOVE FERNANDES

Atualmente, talvez mais do que nunca, conectados pelos avanços na área das comunicações, temos mais consciência da complexidade da nossa existência e do universo que habitamos. À medida que tentamos desvendar o funcionamento do cérebro e identificar as leis que regem o comportamento do homem na convivência social, deparamos com o imprevisível e o imponderável, que mostram não haver certezas: tudo é relativo e está em constante processo de transformação e de ampliação do conhecimento.

De um lado, vivemos em um campo conturbado, sobrecarregado com demandas e estímulos, agitado, dividido entre pobres e ricos, privilegiados e marginalizados. De outro, habitamos um mundo plural, repleto de possibilidades, com a crescente consciência de que somos parte desse mundo, que é uno, e responsáveis por zelar pela qualidade de vida e pela conservação do meio ambiente.

Nós, psicólogos, ocupamos um lugar social privilegiado, pois promovemos estudos sobre o comportamento humano, o desenvolvimento afetivo-emocional, a interação social, e acredito ser nosso dever veicular os valores éticos que nos norteiam e divulgar a nossa prática, que trata do humano.

Apesar de saber que o campo de atuação profissional do psicólogo transcende os limites do consultório, meu propósito ao escrever este capítulo é descrever o trabalho clínico de atendimento psicológico a crianças. Ao mesmo tempo, quero compartilhar com o leitor os fundamentos e propósitos que sustentam minha atuação profissional. Confio que esta leitura tenha efeito multiplicador e torne-se mais um elo de uma corrente que objetiva a transformação social, o aprimoramento da consciência ética e a orientação para uma vida melhor.

ESPECIFICIDADES DA PSICOTERAPIA COM CRIANÇAS NA ABORDAGEM GESTÁLTICA

O que hoje mais me encanta na abordagem gestáltica é a valorização da estética, a busca da "boa forma", seja no contexto da psicoterapia, na visão de mundo do terapeuta que recebe a criança e sua família ou no reconhecimento da intenção da família que procura uma maneira melhor de conviver. Acredito na possibilidade de criar novas dimensões do olhar, novas experiências que confortem, novas maneiras de ser e de fazer que, de algum modo, tendam a fluir para uma configuração harmoniosa.

A Gestalt-terapia investe no estreitamento do contato por meio do desenvolvimento das funções de contato (visão, audição, tato, paladar, olfato, propriocepção, fala, movimento); na ampliação da *awareness*, isto é, na atenção ao momento presente, na percepção das próprias reações diante de determinadas situações; e na valorização da experiência. A criança faz tudo isso enquanto brinca. Ao interagir com o terapeuta, ela expressa sua emoção ao mesmo tempo que elabora seus sentimentos e/ou experimenta novas possibilidades em seu existir.

Na Gestalt-terapia, é consenso que diante de cada desafio, a cada situação cotidiana, buscamos a melhor forma – isto é, a maneira que julgamos mais fácil ou melhor – para resolver aquela emergência naquele momento. É nossa convicção, portanto, que tendemos naturalmente a uma autorregulação saudável, de preferência utilizando nossos recursos para completar a boa forma. A criança está em constante contato com o novo, com muita frequência demonstra curiosidade pela novidade e convive bem com esse fator. Experimenta, por vezes em idas e vindas, por tentativa e erro, relacionar-se com o objeto do seu interesse, costumando ser muito criativa nessa interação.

Consequência disso é que essa plasticidade da criança lhe permite encontrar as mais diferentes soluções para os diversos desafios do dia a dia. Porém, quando repete o mesmo comportamento em situações que podem até apresentar certa semelhança entre si, mas de fato são diversas e requerem novos ajustes, as respostas dadas não são funcionais para aquele caso específico e vão se cristalizando. Aquele que de início foi um ajustamento criativo funcional em determinado momento pode se tornar um padrão repetitivo e disfuncional, como descreve Frazão (1991). Criam-se distorções quando os comportamentos que tendiam a ser saudáveis em um primeiro momento sofrem bloqueios, ficam cristalizados, são insuficientes ou inadequados para lidar com o momento presente e passam a ocasionar problemas ou futuros transtornos.

É com base nessas experiências específicas que a criança vai construindo um conjunto de crenças, que Krippner e Feinstein (1988, p. 27) denominam de "mitologia pessoal". Segundo os autores, "é através dos nossos mitos que interpretamos a experiência dos nossos sentidos, ordenamos novas informações", sendo os mitos pessoais "modos pelos quais os seres humanos codificam e organizam suas vidas interiores". Para Ciornai (1996, p. 12), os mitos pessoais "são crenças profundas que guiam nossas vidas, e servem para inspirar, orientar ações e escolhas, e dirigir o desenvolvimento pessoal".

Quando a criança experimenta uma emoção forte e impactante, pode tirar alguma lição da experiência. Esta pode representar um aprendizado ou ficar registrada como uma crença que guiará novas escolhas ou conduzirá novos comportamentos. Assim ela vai construindo seu sistema de crenças, que constitui o pano de fundo do que pensa sobre si mesma e a vida, isto é, sua autoimagem e sua identidade.

Com frequência a criança toma a parte pelo todo, e uma conclusão advinda de uma visão parcial pode se generalizar e se interpor, bloqueando, em outra situação, a possibilidade de um ajustamento saudável. Por exemplo, quando a criança pequena põe o dedo na tomada e leva um choque, pode aprender que tomadas machucam e resolver nunca mais repetir o ato. No entanto, se quando ela faz birra é atendida e paparicada, pode acreditar que essa é a única forma de obter o que deseja, passando a tiranizar os pais, sem evoluir para outras maneiras de agir. Nesse caso, ela construiu a crença pessoal de que vale a pena espernear, gritar, "dar show" para conseguir o que quer. A resposta imediata pode até acalmá-la e satisfazê-la momentaneamente, mas em médio e longo prazo a interação tornar-se-á cada vez mais carregada de ansiedade. O que de início correspondia à satisfação de uma necessidade transitória talvez não funcione em outras situações, comprometendo a qualidade do contato.

As interações iniciais constituem a base para o estabelecimento das primeiras relações. Assim, a criança configura seus vínculos afetivos com as pessoas que a cercam, desenvolvendo habilidades e recursos para conviver em situações sociais.

Assim como Yontef (1998, p. 271), penso que o desenvolvimento psicológico da criança "é função da maturação biológica, das influências ambientais, da interação indivíduo-meio e do ajustamento criativo feito pelo indivíduo único". Portanto, assim como a Gestalt-terapia valoriza a interação no campo indivíduo/meio e só compreende o significado das ações humanas se insertas em seu contexto, valoriza também a resposta criativa e singular de cada um, podendo ser esta imprevisível e autodeterminada, dependendo da livre escolha individual. Quando propomos uma atividade ou fazemos uma intervenção em psicoterapia gestáltica, nossa meta é ampliar a *awareness* e favorecer novas possibilidades de compreender e experimentar, mas sempre levando em conta que é o cliente que faz suas escolhas e orienta sua vida. No caso da clínica com crianças, como estas são dependentes dos pais, são eles os responsáveis por muitas das escolhas que interferirão decisivamente na vida dos filhos. Mesmo assim, cabe aos pequenos a responsabilidade de escolher o modo como interpretam o que lhes acontece e como reagem em diferentes ocasiões. Enfim, eles participam ativamente da construção da sua identidade.

Fernandes *et al.* (1998, p. 44) veem o

[...] desenvolvimento como processos circulares sucessivos de ajustamentos criativos, que só podem ser compreendidos sob o enfoque relacional. Estes acontecem em níveis cada vez mais complexos e abstratos, à medida que evoluem os processos de expansão e integração. Passam a constituir o autossuporte, condição para um novo momento de expansão, quando há nova assimilação da experiência.

Para os autores, o desenvolvimento da criança é um processo de diferenciação em opostos que abrange inúmeras direções, sendo favorecido por contatos diversos. Isso nos permite compreender por que existem facetas tão diferentes em uma só pessoa.

De início, o desenvolvimento da criança se dá no seio da família, que por sua vez está inserta em um contexto sociocultural e ambiental. Estamos organizados em redes de sistemas que interferem entre si trazendo, uns para os outros, múltiplas e constantes influências. Mais tarde, a criança expande suas relações – amigos, professores etc. Desde cedo, lida perfeitamente com a internet, com *tablets* e celulares, o que amplia ainda mais os fatores que a influenciam de formas diversas.

Nesse caminho de crescimento, surgem inúmeros obstáculos, conflitos, dissintonias no campo criança/meio que desafiam sua capacidade de chegar a uma boa forma que lhe traga satisfação. Com o passar do tempo, os recursos de que a criança – e sua família – dispõe podem não ser suficientes para lidar com as próprias demandas ou com as exigências do meio. É nesse momento que muitas famílias procuram ajuda psicológica.

O ATENDIMENTO À CRIANÇA EM GESTALT-TERAPIA: COMPREENSÃO DIAGNÓSTICA E INDICAÇÃO TERAPÊUTICA

Uma das principais características que distinguem a psicoterapia de adultos da realizada com crianças é que a criança está inserta em um campo do qual é dependente. Como dizemos em Gestalt-terapia, "a criança está no campo e o campo está na criança". Há uma circularidade nessa mútua interferência, que ocorre desde o nascimento (Nogueira *et al.*, 1995), mas as decisões sobre uma série de fatores (escolha da escola, de médicos, da psicoterapia etc.) dependem dos pais.

A criança, por sua vez, está em processo de construção da sua identidade. Embora ainda não haja a predominância de uma maneira de ser no mundo, muitas características já se anunciam. Quando começa a apresentar sinais frequentes de desajuste – distúrbios de sono/alimentação, choro sucessivo sem motivo aparente, medos intensos, desenvolvimento psicomotor e cognitivo defasado da idade cronológica, ansiedade de separação ou fobia escolar, dificuldade de socialização com os colegas ou com os adultos, problemas de aprendizagem etc. –, é hora de os pais procurarem ajuda profissional.

Mesmo que ao longo do processo a maioria das sessões se dê com a criança, penso que os pais também são clientes. O contato com eles é muito importante, não só pelas informações preciosas que nos permitem compreender a criança e sua dinâmica familiar como pela necessidade de estabelecer um sólido vínculo de confiança com o psicoterapeuta. São os pais que detectam a necessidade de procurar ajuda ou endossam uma indicação, e são eles que garantem a presença da criança no consultório. Somos parceiros nesse processo.

Em geral, o primeiro contato com o psicólogo se dá por meio de um telefonema para agendar a consulta. Nesse momento, já registro algumas informações, como quem procura o psicólogo, que tipo de perguntas faz, que dados fornece com o tom de voz, o ritmo da fala e assim por diante. Também fico à vontade para fazer perguntas sobre a idade da criança, de quem partiu a iniciativa de procurar um profissional, quem me indicou e como chegaram até mim.

O formato da primeira consulta levará em conta tais informações. Se a criança é muito pequena, agendo-a somente com os pais. Se já estiver em idade escolar, peço que compareça com os pais. Considero ricas as informações obtidas na primeira sessão. Pais e criança logo ficam sabendo que, embora eu tenha pedido que viessem juntos dessa vez, serão reservadas sessões para atendimento individual à criança e aos pais. Quando indago por que resolveram procurar o psicólogo, costumam relatar o motivo da consulta com transparência, e de modo que a informação seja absorvida pela criança. Pergunto a ela se sabe o que faz um psicólogo e qual é seu desejo ou necessidade ao ir ao consultório. Também peço aos pais que falem de suas expectativas. Digo que não sou mágica nem tenho uma bola de cristal; sou uma psicóloga que estuda muito como as pessoas são, o que sentem e o que podem fazer quando sentem algo que as incomoda, como raiva, medo etc. Procuro saber do que eles precisam para concretizar seu desejo, explicando que assim aprenderemos a nos conhecer: só sabendo em que acreditam, como vivem em família, seus hábitos, dificuldades e recursos poderei ajudá-los a vencer a dificuldade que os aflige. Para tanto, precisamos nos encontrar algumas vezes para decidir, juntos, como proceder.

Penso que eles vêm movidos pela esperança, grande aliada que pode envolver a nós todos em uma aposta e em um trabalho conjuntos. São eles os autores e os protagonistas da sua história. Sou apenas uma facilitadora, uma parceira, aquela que acompanha, na verdadeira acepção da palavra "terapeuta".

Procuro responder a todas as perguntas sobre o trabalho. Entendo ser necessário estabelecer um suporte para a construção da confiança entre nós, e eles têm o direito de saber tudo que desejam para confiar no meu trabalho.

Escuto atentamente sua demanda e o relato de sua dificuldade. Observo gestos, movimentos, postura, tônus, ritmos de fala, direção dos olhares, posição em que se acomodam na sala. Procuro estabelecer relações entre as narrativas de cada um e o que vejo, sinto, penso e imagino como hipótese que me auxilie a compreender o seu pedido. Acolho todos os dados e devolvo no diálogo minha percepção sobre o assunto e sobre o caminho que poderemos traçar para o processo. Ao término da sessão, compartilhamos nossas impressões de como foi estar ali. Essa sessão conjunta tem sido muito importante para que a criança compreenda que o atendimento psicológico é diferenciado, sendo as brincadeiras que desenvolverá aqui distintas de outras atividades lúdicas. Além disso, cria-se uma atmosfera de acolhimento e esperança. Fica entendido que o trabalho será compartilhado, que somos todos parceiros responsáveis por essa jornada. Porém, eles procuraram a mim, e nesse sentido tenho autoridade para dirigir e orientar as propostas de trabalho.

Os primeiros encontros são geralmente dedicados a conhecer a criança, os pais, a relação entre eles, a relação entre irmãos, a convivência na escola... Enfim, o que for necessário para estabelecer uma compreensão diagnóstica que oriente a indicação terapêutica. Isso porque, no caso do atendimento psicológico a crianças, nem sempre o processo psicoterápico é a melhor indicação para aquela demanda, naquele momento. Por vezes são necessários estudos em áreas afins, como encaminhamento para avaliação fonoaudiológica ou psicopedagógica quando existe uma queixa referente a distúrbio de aprendizagem ou dificuldades no rendimento escolar.

Frazão (1991, p. 43) descreve como o terapeuta procede:

> [...] falo de uma hipótese especulativa; hipótese esta que vai se modificando constantemente, ao longo de minha relação com o cliente, isto é, trata-se de um pensamento diagnóstico em processo, um diagnóstico processual. Da mesma forma que um trabalho terapêutico é um trabalho que se desenvolve ao longo de um processo, também o pensamento diagnóstico acompanha este processo; à medida que ocorrem reconfigurações no sujeito e do sujeito, meu pensamento enquanto terapeuta se reconfigura e é por isso que falo em pensamento diagnóstico processual.

Nos encontros com os pais, procuro especificar os elementos trazidos pela queixa inicial e, sobretudo, compreender como se sentem em relação ao comportamento apresentado pela criança e como têm manejado as situações nas quais sentem dificuldade. Busco identificar os valores que norteiam sua conduta e como as dificuldades mencionadas ferem esses valores. Em geral, estabelecemos paralelos entre o que a criança vive no momento e o que eles experimentaram em sua infância que tenha relação com o tema apresentado.

Os dados da anamnese (Almeida e Manho, 2004) são importantes para enriquecer o estudo longitudinal sobre o histórico da criança. Entre os temas abordados estão: antecedentes familiares; valores; heróis da família de origem de cada um dos parceiros; formação da família atual; como os pais se conheceram; namoro, casamento ou não; filhos em comum; filhos agregados; planejamento familiar; concepção da criança; dados da gestação; escolha do nome do bebê; condições do nascimento; adoção; desenvolvimento psicomotor; alimentação; desmame; sono; linguagem; cognição; hábitos; controle esfincteriano; higiene; desenvolvimento social; identificação de gênero; sexualidade; escolaridade etc.

Cabe também pedir as informações necessárias para ter um panorama da situação atual. Como é a convivência com a família extensiva? Em muitos casos, os avós são extremamente atuantes na vida da criança. Alguns chegam a assumir função materna ou paterna devido às extensas jornadas de trabalho às quais muitos pais estão submetidos. É importante saber também como é a moradia, quem são seus habitantes, como vivem no dia a dia, como passam os finais de semana, como comemoram aniversários e festas, se professam alguma religião, competências que veem na família e dificuldades que enfrentam na dinâmica familiar (nuclear e extensiva).

À medida que prosseguem as sessões com os pais e nos dedicamos à coleta de todos esses dados, vamo-nos conhecendo. Eles trazem suas convicções, reflexões e emoções e eu vou compreendendo melhor sua história e seu contexto. Geralmente sinto profundo respeito por ser testemunha de algumas de suas lutas. Assim, aos poucos, desenvolvemos certa intimidade que estreita o vínculo de confiança entre nós. Levanto hipóteses e as compartilho com eles, proponho diferentes atividades para fazerem em casa a fim de entender melhor os padrões de relacionamento familiares.

As sessões iniciais com a criança têm por objetivo não só estabelecer uma compreensão diagnóstica que me habilite a fazer uma escolha terapêutica como, sobretudo, procurar uma sintonia que propicie estabelecer um vínculo afetivo que permita que os encontros terapêuticos beneficiem a todos.

Todas as observações acerca da criança são importantes: vestuário, higiene, cuidados e aparência pessoal, condutas na sala de espera, interação com seu acompanhante – seja antes de entrar na sala ou na saída da sessão. A movimentação é significativa: como anda, se apresenta destreza na motricidade global e fina, mímica, gesticulação, tremores. Enquanto brincamos ou durante a aplicação de testes específicos, é possível observar sua percepção visual, auditiva, tátil, isto é, como percebe formas e cores, como lida com sons, ruídos, melodias etc. Como se guia no espaço, como lida com as referências básicas de orientação temporal (dia, mês e ano, horas, estações do ano). De modo geral, é importante perceber se mantém a concentração por tempo prolongado nas atividades, se explora um brinquedo ou uma brincadeira esgotando múltiplas possibilidades ou se logo se desinteressa e procura outra coisa para fazer. A observação compreende também processos de memória, pensamento, expressão verbal e linguagem.

Muitas vezes, ao correlacionar os dados da observação clínica com os da queixa e da anamnese, fica evidente a necessidade de aprofundar o estudo e aplicar testes de inteligência como WISC, testes psicomotores, estudos neuropsicológicos etc.

Outra área que se destaca como objeto de investigação é a do desenvolvimento afetivo-emocional. Sessões lúdicas, pesquisas favorecidas por testes psicológicos tais como CAT ou análise de desenhos, contação de histórias e atividades afins fornecem dados sobre fantasias da criança, emoções, sentimentos, como vê a si mesma e aos outros, figuras de apego, como lida com limites e autoridade, capacidade de tolerância a frustrações, relacionamento afetivo e social.

Procuro correlacionar todos esses dados, sabendo que nem toda a comunicação da criança é clara e explícita, devendo portanto estar atenta às várias linguagens e aos diferentes sinais fornecidos por ela por meio da linguagem simbólica. Esses sinais por vezes aparecem de forma descontínua, mas podem ser indícios de situações traumáticas, abusos, fatores de ansiedade que se encontram encobertos.

Convém salientar que nos primeiros encontros tenho a oportunidade de tecer a compreensão diagnóstica que abrange a descrição e o reconhecimento tanto das dificuldades da criança quanto das capacidades e dos recursos de que ela dispõe. Muitas vezes, quando a indicação vem da escola, é necessária ou desejável uma visita à instituição para entender como os professores e a coordenação percebem a criança, qual é seu ponto de vista sobre o que se passa com ela.

Direciono meu trabalho visando compreender como a criança vive inserta em seu contexto; assim, procuro validar os aspectos descritivos do que emerge como figura e estabelecer o sentido do seu sofrimento ou de sua busca na relação figura-fundo.

No entanto, muitas crianças já vêm para a terapia diagnosticadas de acordo com o Manual Diagnóstico e Estatístico de Transtornos Mentais (DSM) ou a Classificação Internacional de Doenças (CID). É frequente encontrarmos diagnósticos como depressão, transtorno obsessivo-compulsivo (TOC), estresse pós-traumático, transtornos de ansiedade e síndrome de Tourette em relatórios de estudo psicológico da criança. Assumpção Jr. (2014, p. X) afirma:

> A ideia de um raciocínio interdisciplinar, mais que multidisciplinar, deveu-se ao fato de que somente um pensamento especializado e diferenciado, capaz de se articular em diferentes zonas de conhecimento, pode abranger a complexidade da criança em todos os seus matizes.

Por esse motivo, é importante construirmos uma linguagem comum, interdisciplinar.

Não é meu propósito aqui traçar um estudo sobre a construção da identidade, a formação dos diferentes estilos de personalidade ou das categorias diagnósticas que utilizamos para compreender melhor a psicopatologia infantil. Porém, embora não seja esse o foco neste escrito, trago a importante contribuição da teoria do apego para nortear minhas reflexões quando procuro estabelecer uma compreensão diagnóstica da criança. É também relevante a obra recente de Pinto (2015), na qual o autor apresenta estudos que abrangem os estilos de personalidade definidos no DSM (esquizotípica, histriônica, esquiva, paranoide, *borderline*, obsessivo-compulsiva, narcisista e antissocial, dependente), aproximando-os das descontinuações nos processos de contato apontadas por Ribeiro (2007). Estes tratam de mecanismos como fixação, dessensibilização, deflexão, introjeção, projeção, proflexão, egotismo e confluência. Como a criança está em pleno processo de formação, nós, psicólogos da equipe docente do curso de formação em Gestalt-terapia com crianças do Instituto Gestalt de São Paulo, procuramos correlacionar todos esses estudos e descrever o que denominamos de "Temas na Clínica Gestáltica com Crianças", tais como: transtornos do desenvolvimento, depressão, timidez e vergonha, transtornos de ansiedade, somatizações, transtorno de déficit de atenção e hiperatividade, tiques etc.

É recomendável uma consulta ao psiquiatra e/ou ao neurologista quando há indicação para suporte medicamentoso ou quando o encaminhamento visa clarear minha compreensão, estabelecendo um diagnóstico diferencial. Em qualquer uma dessas circunstâncias, no entanto, quero lembrar que o processo de crescimento é dinâmico, passível de mudanças repentinas. A criança ainda está construindo sua identidade, sendo a inconstância sua constância. Rótulos diagnósticos, embora apontem para uma direção e ofereçam referências importantes, podem cristalizar, impossibilitando um novo olhar para a renovação e a transformação.

Nesse primeiro momento do atendimento psicológico, minha meta é certificar-me de que a psicoterapia seja um bom caminho a ser trilhado ou se outra forma de atendimento deva ser priorizada.

O PROCESSO TERAPÊUTICO E SUAS ESPECIFICIDADES

Penso que a pedra angular de qualquer terapia é a relação cliente-terapeuta. Na abordagem gestáltica, ela é respaldada pela relação dialógica baseada nos escritos de Martin Buber

Modalidades de intervenção clínica em Gestalt-terapia

(1974) sobre a relação Eu-Tu e Eu-Isso. Para Richard Hycner e Lynne Jacobs (1997), vivemos em constante alternância entre momentos Eu-Tu e momentos Eu-Isso, inclusive durante a sessão de terapia. Os momentos Eu-Tu são raros e acontecem quando há um encontro genuíno e pleno entre duas pessoas. Embora empatia, inclusão, respeito e acuidade ocorram na relação terapêutica, em certos momentos esse contato é vibrante, energizado, carregado de uma sensação de sintonia e sincronicidade que os torna quase mágicos, sendo a presença de cada um dos interlocutores plena, sincera, honesta e profundamente verdadeira.

Já os momentos Eu-Isso são caracterizados por certo afastamento necessário para que haja uma reflexão que ajude a compreender o fenômeno que se evidencia. Nesse momento, por vezes é possível estabelecer uma articulação entre o que acontece aqui e agora e o que foi vivido lá e então, ou entre o que está sendo experimentado e o referencial teórico que aponta para uma nova descoberta.

Procuro estreitar o contato com a criança: perseguir seus interesses, encontrar nossos pontos de tangência, saborear sua companhia... Às vezes, ela responde prontamente e logo se descortina um caminho para trilharmos juntas. Em outras, a busca é mais árdua: vamos tateando, sustentando a dificuldade de caminhar no escuro, sem saber o que lhe agrada ou a contraria, mas insistindo em procurar aquele pontinho que possa favorecer nossa vinculação.

Oaklander (2009, p. 37) afirma que a relação terapêutica "é a base do processo terapêutico e pode, por si mesma, ser poderosamente terapêutica. [...] Nos encontramos como indivíduos separados, nenhum superior ao outro".

Gosto quando Ginger e Ginger (1995, p. 146) apontam que o Gestalt-terapeuta

> não é um "*ana-lista*", dissecando a situação para remontar às suas origens [...] mas, principalmente, um "*catalista*" [...] [pois] acelera e amplia as reações com sua presença; age por intervenções em doses muito tênues; não desloca o equilíbrio interno, mas apenas permite atingi-lo mais rapidamente [...].

A relação terapêutica se constrói passo a passo na interação entre mim e a criança. Fico sempre muito atenta à ressonância que o comportamento da criança provoca em mim. Como diz Frazão (1991), procuro estar *aware* do que me impacta e como me impacta, seja no conteúdo seja na forma do discurso da criança – sua aparência, seus gestos, seu tom de voz e assim por diante. Em geral, isso provoca em mim uma memória, alguma referência que carrego comigo e certamente está no campo, tocando, portanto, tanto a mim quanto a criança. Assim continuamos interagindo até que um vínculo se anuncie. Surge uma crescente atmosfera de carinho, de torcida pelo outro, de empenho em estar ali com o desejo de olhar para aquilo que emerge – seja uma brincadeira agradável, um jogo desafiante, uma conversa triste... Enfim, estamos ambos presentes, criando experimentos e brincadeiras que nos habilitem a tecer alternativas para perceber os infinitos matizes do experimentar humano e lidar com eles.

Na Gestalt-terapia, o experimento e a metodologia fenomenológica são os principais instrumentos de pesquisa que colaboram para ampliar a *awareness*, desenvolver a acuidade perceptiva, compreender e elaborar sentimentos e experimentar novas formas de agir em um ambiente seguro.

Para Zinker (2007, p. 141), o experimento

[...] é a pedra angular do aprendizado experiencial. Ele transforma o falar em fazer, as recordações estéreis e as teorizações em estar plenamente presente aqui, com a totalidade da imaginação, da energia e da excitação.

Mais à frente (ibidem, p. 142), afirma: "O experimento pede que a pessoa se explore de forma ativa". Ora, a criança está em plena fase de aprendizagem sobre si e o mundo. Seu aprendizado se dá de maneira concreta e ativa.

O aprendizado proposto pelo experimento acontece na psicoterapia infantil na forma de conversa, em brincadeiras, jogos, atividades de contar e ouvir histórias, nas propostas de trabalhar com arte e criatividade... Enfim, em uma miríade de possibilidades que compõem o experimentar humano.

Rosana Zanella chama lindamente o curso sobre atendimento infantil gestáltico que ministra de "Brincadeira é coisa séria", referindo-se ao sentido lúdico que permeia a psicoterapia com crianças. Nas brincadeiras que inventam, elas trazem os principais temas que representam conflitos, temores, afetos, interesses – aquilo que escolhem como material a ser trabalhado nas sessões.

A escolha do que faremos geralmente cabe à criança, mas participo com propostas, sugerindo novos desafios, colaborando com diferentes formas de proceder e realizar a atividade, aprendendo com ela como se faz isso ou aquilo etc.

A metodologia fenomenológica propõe que eu esteja atenta ao que é revelado pela situação. Isso significa estar presente àquele momento procurando descrever o que vejo, colocando de lado ideias preconcebidas ou interpretações apriorísticas. Yontef (1998, p. 217) diz que "o termo fenomenologia veio a ser associado a qualquer abordagem *que enfatiza variáveis subjetivas* ou de consciência, em vez de variáveis objetivas ou comportamentais". Mais à frente (ibidem, p. 218) afirma que "uma observação fenomenológica integra tanto o comportamento observado quanto relatos pessoais, experienciais".

Os encontros com a criança costumam ser dinâmicos, permeados por atividades bem variadas; por vezes ela já entra na sala querendo dar continuidade a algo que fez ou ficou incompleto na sessão anterior. A sessão transcorre geralmente assim: de início, a criança propõe uma atividade ou brincadeira. Sigo seu movimento, vou brincando ou interagindo com ela, sempre atenta ao que ela manifesta e ao que se passa comigo enquanto isso acontece. Nesse meio-tempo, posso ter duas condutas: a) envolver-me plenamente em nossa brincadeira e utilizar a mim mesma como instrumento de trabalho quando percebo que meus sentimentos e emoções vividos ali são função do campo; b) realizar certo afastamento para entender o significado da experiência e estabelecer relações entre o que se passa naquele momento e o processo terapêutico/a história de vida da criança.

No primeiro caso, levo em conta a ressonância do que percebo em mim e está relacionado ao que está se passando entre nós. Posso devolver minha impressão à criança, seja numa interferência durante a brincadeira, seja no relato verbal. Com base nessa intervenção, a criança pode reconhecer algum de seus sentimentos ou sentir-se confirmada em determinada questão. De uma maneira ou de outra, ela manifesta uma resposta que norteará nosso próximo passo na busca do autoconhecimento, do reconhecimento de suas emoções, de novas experiências ou de apropriação de seus recursos pessoais e/ou de sua criatividade.

No segundo caso, posso ou sugerir uma atividade que visa ser um experimento ou interferir na brincadeira propondo situações que venham a elucidar uma hipótese levantada.

Aqui cabe um exemplo: o menino entra na sala e dirige-se ao canto oposto ao da porta de entrada. Percebo que trouxe consigo um objeto. Ele se volta para a parede, dando-me as costas, e brinca com o objeto murmurando palavras que me soam incompreensíveis. Procuro me aproximar para enxergar e ouvir melhor. Vejo que ele brinca com um carrinho, mas continuo não entendendo o que diz. Parecem sons imitando o barulho do carrinho em movimento. Dou-me conta de minha sensação de exclusão e ao mesmo tempo da força e do empenho que faço para chegar até ele. Lembro-me da descrição que faz Ranaldi (2010, p. 123) sobre "o árduo caminho de crescimento para a criança tímida" e me comovo com a dificuldade de interação que ele pode estar sentindo. Sei que essa é apenas uma hipótese advinda da minha ressonância. Pego um carrinho da sala, chego mais perto dele – mas não tão perto – e fico movimentando o carrinho e murmurando sons. Em dado momento, ele dá uma viradinha e me olha, nossos olhares se cruzam, chego um pouco mais perto, faço um barulho um pouco mais alto... e nossos carrinhos começam a conversar.

Dessa maneira, sessão após sessão, o processo terapêutico ganha força e as mudanças no semblante, na postura e no comportamento da criança se evidenciam. Tive uma secretária que era perita em perceber quando determinado cliente começava a melhorar. O melhor termômetro para avaliar a evolução da criança é perceber que ela deu um salto qualitativo durante as férias, quando se afasta da terapia para conviver mais com a família. Esse é um sinal de que já percorremos mais de meio caminho do processo.

Aqui cabe uma palavra sobre a relação entre o psicólogo e a escola. Visitas à escola são importantes não só para ampliar a compreensão diagnóstica como para estabelecer uma parceria que possa facilitar a evolução da criança nesse ambiente. Algumas instituições procuram colaborar como podem, dentro dos limites permitidos pela sua estrutura, visando a uma educação global que leva em conta a criança como um todo em seu processo de crescimento e não apenas seus aspectos cognitivos. Outras não apresentam essa disponibilidade, e percebo que a criança ainda não tem recursos para transpor sua dificuldade e acertar o passo com as demandas da escola. Penso que é função do psicoterapeuta detectar se/e quando vale a pena recomendar a mudança de escola.

Quero mencionar ainda que, às vezes, é importante manter contato com outras pessoas muito presentes no cotidiano da criança, como babás, tios, irmãos mais velhos etc. Cada situação é singular e deve ser avaliada em seu contexto específico. Aqueles que permanecem muito tempo com a criança podem ser ouvidos e orientados. Porém, tal decisão requer muita sensibilidade, pois em alguns casos a prioridade é fortalecer o vínculo entre os pais e a criança, não sendo propícia uma relação direta com a babá ou cuidador.

O TÉRMINO DA TERAPIA

Duas situações diferentes acompanham a finalização da psicoterapia: a interrupção do processo e aquilo que chamo de conclusão deste.

Muitas vezes, o processo é interrompido sem que o terapeuta concorde que se trate de momento favorável para o término da terapia. É importante ouvir o que motivou essa opção, conversar, trocar pareceres. Saliento a complexidade do campo no qual emerge a interrupção da terapia. Embora exista uma figura evidente que costuma justificar a escolha dos pais, lembro que são inúmeras as variáveis que interferem nessa decisão – e nem sempre elas se encontram no âmbito da consciência ou são levadas ao conhecimento do terapeuta. É bom tecer ponderações que ampliem a compreensão considerando a abrangência desses vários fatores sistêmicos. Caso não seja possível reverter o quadro, a decisão última é sempre dos pais.

Convém que pais e terapeuta procurem programar em conjunto a finalização do processo. Contar à criança, ouvir sua resposta e juntos procurar compreender o sentido da interrupção; harmonizar sentimentos, traçar novos horizontes e deixar a porta aberta para um novo processo terapêutico em outro momento é arte singular, específica de cada caso.

Alguns interrompem por dificuldades financeiras, outros não veem progresso, outros ainda acham que a criança melhorou muito e não precisa mais de terapia, uns não querem que o filho fique dependente da terapia, outros alegam que a criança não quer mais vir e não desejam forçá-la... O importante é acolher os sentimentos que emergem nessa situação, validar o vínculo criança-terapeuta e pais-terapeuta e o tempo vivido nesse contexto. Vale a pena compartilhar a evolução ocorrida ao longo do processo, seja retomando trabalhos, seja recordando sessões.

Por outro lado, quando se evidenciam e se consolidam os sinais de saúde tanto durante as sessões psicoterápicas quanto nos relatos da família e da escola, é tempo de partir e deixar que a criança siga seu caminho de crescimento e desenvolvimento. Ciornai (2004, p. 60) afirma que o funcionamento saudável para a abordagem gestáltica

> [...] será, então, o fluxo pleno, contínuo, energizado de *awareness* e formação perceptual de figura-fundo, em que através de fronteiras permeáveis e flexíveis o indivíduo possa interagir criativamente com o seu meio ambiente desenvolvendo sensibilidade e recursos para responder às dominâncias que se lhe afigurem, usando suas funções de contato para avaliar e estabelecer apropriadamente contatos satisfatórios e enriquecedores e interrompê-los quando prejudiciais e intoleráveis. Saúde é a prevalência e relativa constância deste tipo de funcionamento.

Na criança, saúde é sinal de curiosidade, energização, vivacidade, capacidade de ação, fluência, realização. É estar presente ao que experimenta e perceber a emoção vivida durante o contato. É usufruir da satisfação que acompanha esse momento. Enfim, o funcionamento saudável na criança compreende a apropriação da experiência e certa reflexão sobre o vivido. A capacidade de afastar-se da experiência e retomar um período de descanso faz parte do processo de autorregulação saudável.

A queixa inicial foi removida, a criança ampliou a consciência de si, elaborou alguns sentimentos, experimentou novas possibilidades, enfrentou desafios, encontrou novos recursos para lidar com as situações que traziam ansiedade ou paralisações, conseguiu vivenciar uma sensação de harmonia interna, de estar "em casa" consigo mesma e nos ambientes que frequenta. Come bem, dorme bem e aceita frustrações sem muita angústia ou ansiedade, ao mesmo tempo que sabe ir em busca do que deseja.

Boa qualidade de contato implica também saber ver e ouvir, ter espontaneidade no contato físico e permitir o toque como expressão de afeto de acordo com a cultura e a idade. É perceber os contornos e as figuras com nitidez, saber contextualizar, demonstrar bom manejo de fronteiras e ter consciência de si e do outro. É poder doar-se em alguma medida, saber respeitar seus limites, discernindo quando é possível ultrapassá-los e ir além no caminho do crescimento e quando é o momento de se deter.

Nessa fase, a criança expressa afetividade sem ansiedade/sofreguidão por afeto nem afastamento demasiado. Consegue permanecer no presente, interage com energia, fluência e criatividade, apresenta plasticidade e facilidade de apropriar-se do aprendizado contido em cada situação, sabe elaborar e expressar seus afetos de modo compatível com sua faixa etária. Entrega-se com envolvimento e descontração quando avalia que está segura. Consegue realizar o que é possível.

Justamente quando a relação criança-terapeuta está mais gostosa, quando há entendimento mútuo, interesse, desejo de estar junto com intimidade e familiaridade é tempo de partir. Muitas crianças passam a apresentar sinais gradativos de afastamento.

Aguiar (2014, p. 223) menciona alguns sinais que a criança pode evidenciar nessa fase: "querer realizar outras atividades que às vezes rivalizam com o horário e o custo da terapia, já não espera com tanto entusiasmo a sua sessão semanal, não traz mais tantas coisas para discutir, não resiste nem esconde coisas".

Quando um desses comportamentos se manifesta, entendo que a criança apresenta uma autorregulação saudável ao afastar-se quando percebe que o processo está chegando ao fim.

Os pais notam mudanças e relatam que a convivência está harmoniosa e respeitosa; sentem-se mais seguros no manejo da educação de seus filhos, pois o contato mais acurado oferece um suporte para que acreditem que tudo vai bem, ou melhor do que antes. Percebem que há remoção dos sintomas sem que estes sejam substituídos por outros. A evolução percebida confere a eles a possibilidade de alternar-se entre proteger os filhos e/ou delegar-lhes autonomia e responsabilidade.

Os relatórios da escola dão notícias de que a criança consegue acompanhar o ritmo do programa pedagógico requerido para sua idade. Convém verificar se reportam que a criança lida bem com a realidade, participa com interesse das atividades escolares e apresenta boa socialização.

É desejável que a decisão de alta clínica ou término da terapia seja consenso entre pais, criança e terapeuta. Muitas vezes, pais e terapeuta estão de acordo, mas a criança pede para permanecer mais tempo. É muito bom quando se consegue respeitar esse tempo da criança e tecer um desligamento gradual, comprometido com a busca do sentido que tem esse momento considerando o processo como um todo.

Trata-se, porém, de um momento de passagem, cabendo muitas vezes um ritual, sinal sensível da finalização do processo. Tal ritual é particular e inerente a cada um: pessoal, singular e intransferível.

Convém lembrar que o desenvolvimento das potencialidades é um processo dinâmico e contínuo e envolve todo o ser. Olhando por esse prisma, não podemos esperar que a criança esteja pronta, isto é, completa, para parar a terapia. O importante é saber que ela tem recursos para seguir seu caminho e cuidar dos sentimentos diante da separação do terapeuta, pois separações são inerentes à vida. Deixar a porta aberta é decorrência de um processo que fica na memória como uma experiência importante, um recurso que ajudou a lidar com um momento de sofrimento – e pode vir a ser útil também no futuro, quando houver necessidade.

REFERÊNCIAS

AGUIAR, L. *Gestalt-terapia com crianças: teoria e prática*. São Paulo: Summus, 2014.

ALMEIDA, A. B. T.; MANHO, R. C. *Estudo de caso psicológico*. Documento de circulação interna do Curso de Formação em Gestalt-terapia com Crianças do Instituto Gestalt de São Paulo, São Paulo, 2004.

ASSUMPÇÃO JR. F. B. (org.). *Psiquiatria da infância e da adolescência*. Porto Alegre: Artmed, 2014.

BUBER, M. *Eu e Tu*. São Paulo: Moraes, 1974.

CIORNAI, S. "Tocando o fundo: 'pano de fundo' das figuras do nosso viver". *Revista de Gestalt*, n. 5, 1996.

_____. "Arteterapia gestáltica". In: CIORNAI, S. (org.). *Percursos em arteterapia*. São Paulo: Summus, 2004.

FERNANDES, M. B. *et al.* "A gênese da construção da identidade e da expansão de fronteiras na criança". *Revista de Gestalt*, n. 7, 1998.

FRAZÃO, L. M. "Pensamento diagnóstico em Gestalt-terapia". *Revista de Gestalt*, n. 1, 1991.

GINGER, S.; GINGER, A. *Gestalt: uma terapia de contato*. São Paulo: Summus, 1995.

HYCNER, R.; JACOBS, L. *Relação e cura em Gestalt-terapia*. São Paulo: Summus, 1997.

KRIPPNER, S.; FEINSTEIN, D. *Mitologia pessoal: a psicologia evolutiva do self – Como descobrir sua história interior através de rituais, dos sonhos e da imaginação*. São Paulo: Cultrix, 1988.

NOGUEIRA, C. R. *et al.* "Reflexões sobre o desenvolvimento da criança segundo a perspectiva da Gestalt-terapia". *Revista de Gestalt*, n. 4, 1995.

OAKLANDER, V. *El tesoro escondido: la vida interior de niños y adolescentes*. 2. ed. Santiago: Cuatro Vientos, 2009.

PINTO, E. B. *Elementos para uma compreensão diagnóstica em psicoterapia: o ciclo de contato e os modos de ser*. São Paulo: Summus, 2015.

Lilian Meyer Frazão e Karina Okajima Fukumitsu (orgs.)

RANALDI, C. "O árduo caminho de crescimento para a criança tímida". In: ANTONY, S. M. da R. (org.). *A clínica gestáltica com crianças: caminhos de crescimento*. São Paulo: Summus, 2010.

RIBEIRO, J. P. *O ciclo de contato: temas básicos na abordagem gestáltica*. 5. ed. São Paulo: Summus, 2007.

YONTEF, G. M. *Processo, diálogo e awareness: ensaios em Gestalt-terapia*. São Paulo: Summus, 1998.

ZINKER, J. *Processo criativo em Gestalt-terapia*. São Paulo: Summus, 2007.

4
Trabalhando com adolescentes: (re)construindo o contato com o novo eu emergente

ROSANA ZANELLA E SHEILA ANTONY

A adolescência dá início ao período da independência, no qual o jovem anseia por autonomia e liberdade, travando uma luta entre si e o ambiente para definir sua identidade. É uma fase em que emergem conflitos e questionamentos acerca das introjeções familiares e da sociedade, em que o adolescente sofre pressão social e familiar para assumir responsabilidades e tomar decisões cruciais. Ele mergulha, assim, na indagação angustiante: o que vou ser (em relação à profissão) e quem sou eu (em relação à personalidade e à sexualidade)?

Toma consciência de que a individualidade só pode ser obtida mediante a separação subjetiva dos pais (discriminação do que é dos pais e do que é seu), a libertação da confluência familiar, a renúncia ao vínculo de dependência da infância. Só então poderá alcançar a independência do eu, livre de normas, valores, exigências sociais e familiares que o desviam de seu caminho de autorrealização e de escolhas pessoais originais. O ato de libertar-se das introjeções direciona o adolescente para o egotismo funcional, por meio do qual o eu se torna centro de tudo, impulsionado por forças internas (biológicas, psicológicas) que lhe permitem definir-se e decidir como sujeito, autor da própria história, senhor dos seus projetos, vontades, desejos e necessidades.

Nesse período, o adolescente amplia a capacidade de reflexão devido à crescente expansão da consciência, que lhe possibilita pensar a si mesmo e ao mundo humano-físico-social com indagações mais profundas e abstratas. Há um visível entrelaçamento e uma influência mútua entre o que acontece fora e dentro de si, entre o mundo exterior e o interior. Mais do que na infância, a fronteira de contato – como espaço existencial no qual os fatos psicológicos ocorrem – dá lugar ao outro, como sujeito significativo na consolidação de sua autoestima, na renovação do autoconceito e da autoimagem corporal que lhe propiciam estabelecer condutas de autossuporte. O mundo circundante se amplia ainda mais com a formação de grupos e com os amigos virtuais que o adolescente passa a conhecer nas redes sociais.

Nesse processo de integrar as experiências internas às externas, alguns enfrentam o drama do estranhamento do corpo, cujas transformações físicas trazem constrangimento, vergonha e temor. O corpo torna-se figura na relação com o mundo e com o outro, desencadeando processos psicológicos que abrangem desde a não aceitação da mudança morfológica (luto da perda do corpo infantil) e a recusa do corpo como objeto de desejo sexual, até a ansiedade em lidar com a excitação sexual organísmica natural que induz o adolescente a experiências de autoerotização, atividades masturbatórias, fantasias sexuais e ao desejo sexual dirigido ao corpo do outro. O primeiro sutiã, a menarca e a semenarca são acontecimentos que celebram e marcam a entrada na adolescência propriamente dita. As espinhas provocam vergonha e mostram que o corpo necessita de uma nova forma de cuidado.

É em meio a essa turbulência que o adolescente chega ao consultório, na maioria das vezes trazido pelos pais – os quais também podem experimentar um estranhamento diante das mudanças de seu filho. O Gestalt-terapeuta utilizará recursos para facilitar ao adolescente e à sua família uma compreensão desse período tão repleto de descobertas e mudanças. As sessões familiares, as quais incluem o adolescente, irmãos e familiares, visam ampliar a *awareness* e promover uma intercomunicação familiar mais aberta.

Abordaremos a adolescência como um período de definição da identidade que está estreitamente inter-relacionada com as experiências afetivas e intercorporais vividas pelo sujeito adolescente no campo da infância. Ao ampliar sua capacidade de reflexão sobre si e o próprio corpo, o outro e seu corpo, reconhece viver um processo de intersubjetividade e intercorporeidade, em que o outro é importante na constituição do seu eu, na formação de sua autoimagem corporal, na renovação de seus valores e crenças. O organismo, em intensa transformação biológica e psicológica – o qual suscita percepções, desejos, pensamentos e fantasias –, passa a ser, nas palavras de Merleau-Ponty (2000), corpovidente e visto, sentiente e sentido, tocante e tocado, desejante e desejado, despertando para outro corpo-sujeito e sendo despertado por ele – o que lhe possibilita novas experiências sensoriais, afetivas, cognitivas, sociais. Ao olhar o outro, o adolescente se percebe olhado, tomando consciência de si como sujeito que é/tem um corpo que, por sua vez, impacta outro cujo corpo é dotado de significado afetivo e lhe dá significado – sendo assim introduzido no reino da sexualidade.

Tais temas serão abordados pelo enfoque organísmico e holístico da Gestalt-terapia, considerando a adolescência um período em que o indivíduo se desenvolve e funciona como um organismo uno, integrado e total. Isso se dá num processo dinâmico, contínuo e recíproco de interação com o ambiente, no qual, em cada momento específico, ocorre interação entre o sujeito e os fatores biológicos, psicológicos e ambientais. Também analisaremos o processo de libertação do poder dos pais, que passa pela revisão das introjeções e pelo desprendimento do estado de confluência, base da aquisição da autonomia e fortalecimento do senso de eu.

LIBERTANDO-SE DAS INTROJEÇÕES

O adolescente luta por emancipar-se dos pais e de todo sistema humano (escola, igreja, comunidade, sociedade) que venha a se contrapor à manifestação livre de sua individualidade e de suas ideias. O imenso desejo de autonomia e liberdade leva-o a questionar os introjetos sociais e familiares com o intuito de instaurar um código moral e ético próprio. Todos os valores e normas sociais de cunho impositivo e discriminatório são postos em xeque por certo idealismo, que o faz se indignar contra injustiças, hipocrisias, falsidades, contra toda autoridade abusiva.

A criança aprende absorvendo o mundo que a cerca, seja por assimilação, seja pela introjeção parcial ou total da personalidade alheia. Define-se introjeção como o processo primário de internalização de crenças, valores, pensamentos e comportamentos transmitidos pelos pais, pela cultura e por outros ambientes significativos que fazem parte da formação (e deformação) da identidade do indivíduo. Afinal, carrega códigos morais, normas de conduta, proibições e experiências emocionais negativas que ficam como resíduos incompatíveis com a natureza da pessoa, elementos psicológicos contrários àquilo que a criança aceita, deseja, pensa sobre e para si. As experiências introjetadas são construídas na interação, no contato não nutritivo com o outro, sendo cristalizadas na criança devido a ameaças de punição, abandono, privação de amor. Quando tóxicas, ajudam a formar distúrbios emocionais, a construir um eu inautêntico e incoerente com seus impulsos originais (Antony, 2009). As introjeções geram empobrecimento da *awareness* e interrupções do contato; cria-se um padrão fixado de pensamento, comportamento e percepção que distancia o jovem cada vez mais de sua personalidade espontânea. Ocorrem a alienação de aspectos de si, a perda parcial do contato com a sua personalidade – o que leva o indivíduo a viver uma personalidade "como se", guiado pela identidade alheia (eu não existo, só o outro). Assim, os introjetos disfuncionais perturbam a autorregulação organísmica natural por confundir a capacidade do organismo de identificar sua necessidade mais original.

Desse processo de introjeção vivido, no qual as mensagens "deves ser assim, deves agir assim" são incorporadas ao funcionamento psicológico do adolescente, emerge o conflito entre as partes originais e as introjetadas, criando o dilema dominador *versus* dominado. O dominador representa a voz exigente, punitiva, acusadora que leva a pessoa a distorcer o senso de eu por se apoiar em falsas necessidades. Já o dominado manifesta características de rebeldia, insubordinação, submissão e esquiva, procurando evitar o cumprimento das exigências e dos mandatos do dominador. Para Perls (1971), esse conflito leva o indivíduo ao desempenho de papéis (tenho sempre de agradar ao outro, devo ser um filho perfeito) e às relações permeadas por jogos de controle/poder. A preguiça do adolescente pode ser o dominado agindo para frustrar o dominador com seu autoritarismo. E, quando se atrasa nos compromissos, demorando a se arrumar e sair com os pais, pode representar uma forma passiva de desmontar a rigidez dos pais com horários e obrigações.

Por isso acontecem os comportamentos de oposição e agressão às figuras de autoridade, às imposições sociais e familiares, ocorrendo muitas vezes tentativas de separação e fuga do meio familiar que visam à ruptura com as leis externas e à recusa da personalidade deliberada.

A continuidade dessa luta pela construção da identidade e afirmação do eu leva à progressiva diferenciação da fronteira de contato, em que se dá uma distinção cada vez mais nítida entre o eu e o outro, com o reconhecimento de que tudo e todos têm uma existência singular, uma personalidade própria. Nessa fase, ocorre a aquisição do pensamento abstrato, o qual lhe permite levantar hipóteses, fazer uso de metáforas para explicar (e entender) o comportamento humano e o mundo em sua complexidade. O adolescente entra no reino da abstração, mergulhando em reflexões sobre as qualidades físicas, emocionais, comportamentais que tem, gostaria de ter e vislumbra no outro (conhecido e desconhecido). Olha o próximo e indaga seu comportamento, seu corpo, seu eu, especulando novas formas de contato (afetivo, sexual, social). Anseia por sentir-se pertencente, incluso, aceito pelos pares –

o grupo de amigos assume grande importância em sua vida social e psicológica, o que o leva a temer a rejeição.

McConville (1995) encara esse período do desenvolvimento humano como uma oportunidade de reorganização da fronteira de contato. Na mesma linha, Wheeler (*apud* Ferguson e O'Neil, 2001) enfatiza o indivíduo e o contexto sociocultural ao considerar a adolescência um processo de organização do sujeito no campo. O adolescente toma esse momento como oportunidade de reconstruir a relação com os pais, de renegociar direitos e deveres com todas as partes do sistema familiar. Assim, busca desprender-se de algumas normas e valores que o mantêm em uma posição infantil de submissão aos pais. Enquanto estes lutam para manter sua autoridade, o filho luta por sua autonomia, desejando e, às vezes, exigindo mudanças na comunicação, no contato, nos horários e nos hábitos familiares cotidianos.

Destacamos ainda a emergência de outros fenômenos psicológicos vividos na adolescência, tais como:

- **Ampliação da *awareness* de si como um todo integrado (corpo-mente-outro-ambiente).** O adolescente passa a pensar seu corpo e senti-lo em interdependência com o outro e com o meio externo, percebendo que o corpo que tem fala da pessoa que pensa ser.
- **Redefinição das fronteiras do *self* (formas de autoexpressão) e das fronteiras do ego (escolhas de identificação e rejeição com a personalidade em definição).** O adolescente redefine sua vida de relações, seu estilo de vida, procurando formas autênticas de se manifestar. A felicidade está em ser aceito, em participar de um grupo. Sabe quem

quer (ou não) como amigo e busca um estilo de se vestir e falar, com gírias e expressões próprias do grupo ao qual pertence. Polster e Polster (2001, p. 109) pontuam que

a seletividade de contato determinada pela fronteira de eu do indivíduo orientará o seu estilo de vida, incluindo a sua escolha de amigos, trabalho, geografia, fantasia, fazer amor, e todas as outras experiências que são psicologicamente relevantes para a sua existência.

- **Oposição aos introjetos familiares e sociais.** Repensa os valores, crenças e visão de mundo dos pais e da sociedade e se opõe a eles, numa intensa necessidade de contestar aquilo que é instituído. "Para viver, um organismo precisa crescer física e mentalmente. Para crescer, precisamos incorporar substâncias de fora, e, para torná-las assimiláveis, necessitamos desestruturá-las" (Perls, 1977, p. 57). O adolescente cresce engolindo modos de se comportar e pensar ditados pelos pais, que, por sua vez, são influenciados pela sociedade e por normas familiares, deixando-o confuso sobre a sua personalidade orgânica. Para que ocorra a harmonia ambiental, torna-se necessária a assimilação, senão permanecemos introjetos, isto é,

as coisas que foram engolidas inteiras, o material estranho do qual não se apropria. Tal é a moral introjetada: é o resultado de uma agressão incompleta; um morder, mastigar e digerir incompletos dos padrões dos pais, dos professores e da sociedade. (ibidem, p. 59)

- **Libertação da confluência disfuncional familiar (abandono do vínculo de dependência infantil).** A confluência

Modalidades de intervenção clínica em Gestalt-terapia

tem como polaridade complementar a diferenciação. "Evitar a confluência é separar, é criar fronteiras que diferenciam o *self* e o outro" (Ferguson e O'Neil, 2001, p. 91). Para tornar-se independente, precisa separar o "joio do trigo", o que é seu e o que é dos outros, discriminar aquilo com que não se identifica. Sua intenção primordial é conseguir a primazia do eu, a mudança da submissão para o domínio, a separação emocional que resulta, por certo tempo, em rejeição, ressentimento e hostilidade contra os pais e outras figuras de autoridade.

• **Necessidade de experienciar a confluência funcional com seu grupo de iguais, resultando em um processo de diferenciação do próprio eu.** Adolescentes se vestem de maneira parecida, gostam das mesmas músicas, compartilham ideias e pensamentos semelhantes. Em consonância com o grupo, ousam experimentar novas formas de estar no mundo, novos comportamentos. Sua hierarquia de necessidades altera-se muito rapidamente, e os pais em geral não conseguem acompanhar essas mudanças – nem mesmo as entendem.

Ainda nesse processo de organização do *self* e definição de fronteiras, a representação interna das figuras parentais é reconfigurada. O pai e a mãe deixam de ser mitos, saem do lugar de todos-poderosos e detentores absolutos do saber. O adolescente começa a percebê-los como pessoas reais que têm falhas, deficiências e insuficiências: eles já não sabem tudo (como na infância), é o jovem que sabe mais. Quer mostrar que o que sabe é melhor, que suas ideias e ideais são mais valiosos. Assim, o adolescente sofre o luto dos pais pelo fim da infância. Os pais, por sua vez, se aborrecem com a prepotência (o egotismo) do adolescente, o qual quer impor seus desejos e vontades, sua nova identidade. Alguns temem perder a autoridade, entrando num litígio intenso para manter o poder e a relação de submissão e dependência infantil, o que fará naufragar a harmonia familiar. Onde não há diálogo não há contato; onde não há contato não há bem-estar e equilíbrio entre aqueles que integram o campo familiar.

Nossa tarefa terapêutica é restaurar o contato nutritivo, a boa comunicação, e sensibilizar os pais para a crise existencial do adolescente, bem como mostrar ao jovem que os próprios pais também viveram conflitos com os progenitores – conflitos esses que são projetados no filho, criando os conflitos relacionais atuais.

O CORPO COMO CAMINHO DO NOVO EU EMERGENTE

Tomamos o corpo como fonte de conhecimento e conscientização do indivíduo, tanto na dimensão afetivo-emocional quanto cognitiva, para enfatizar que a constituição da subjetividade se dá na intercorporeidade do encontro humano. O corpo, diz Rioux (*apud* Vayer, 1986, p. 21), "*é saber imediato de si, experiência interna de todo conhecimento*", sede das sensações e emoções.

Assim, só é possível reconhecer-se como corpo porque o outro também tem um corpo. O meu corpo é um meio de conhecer os outros corpos e de estes conhecerem o meu. Eu preciso aprender a considerar meu corpo objeto para, em seguida, perceber o corpo objeto alheio e ser por este objetivado. Ou seja, "meu corpo ocupa uma posição de referência e diferença"

(Levin, 1991, p. 57). Trata-se da experiência fundante da dialética eu-outro na constituição da subjetividade.

O percurso do desenvolvimento da *awareness* do eu passa primariamente pelo conhecimento do corpo como um todo, no qual mãos, pernas, pés, olhos, boca, orelhas e órgãos genitais estão interligados e se influenciam mutuamente, constituindo a noção de esquema corporal. A aquisição da imagem corporal vem em seguida, quando a criança pensa e sente a si mesma a partir do corpo que tem, instituindo o "eu sou um corpo", "eu me sinto", "eu me penso". Sou eu que, com meus gestos, olhares e movimentos desperto o interesse, o desejo, a raiva, o amor do outro. Sou eu, como sujeito, que dou movimento e vida ao meu corpo. Tenho um corpo que toca e é tocado, tenho um corpo que é visto e vê, que dá vida à sua existência com roupas, voz, gestos, olhares que me tocam. Institui-se, dessa forma, a representação mental de corpo-objeto e corpo-sujeito, aquilo que tenho e sou. Diz Laura Perls (1994, p. 37): "Quando és um corpo, quando sentes a ti mesmo como um corpo, então és alguém (*somebody*). E, quando não tens isto, é muito fácil sentir-se um ninguém (*nobody*)".

Enquanto a criança usufrui de seu corpo como corpo-motor, que se movimenta, explora o ambiente, se excita com os amplos movimentos que se vê capaz de executar com as pernas, os braços, o tronco, a cabeça, o adolescente entra em contato com o corpo erotizado devido às novas dimensões e qualidades físico-corporais adquiridas. O corpo biologicamente transformado angustia o adolescente, pois o introduz no reino da sexualidade, do corpo-sujeito desejado e desejante. Uma parte íntima e vital, seus órgãos genitais, torna-se estranha para ele, produz tensão, provocando um comportamento confuso e pensamentos conflitantes.

Na adolescência, o outro e seu corpo são o centro de suas atenções e motivações. Ao mesmo tempo que os outros assumem papel significativo na estruturação afetiva, ele vivencia a necessidade de afirmação e confirmação de seu eu num processo egotista em que simultaneamente se projeta no outro e volta-se para si mesmo. Mirabella (2013, p. 12) diz que "a dimensão afetiva é aquela que sofre de forma mais acentuada na adolescência, em virtude do excesso de estímulos vivenciado, provocando alterações no ser como um todo".

Ao adentrar o mundo da sexualidade, conceito que integra gênero, identidades sexuais, vinculação afetiva, amor e reprodução (Santos, 2015), o adolescente revê sua história pregressa de contatos físicos, sensoriais e afetivos experimentados (carícias, olho no olho, pele com pele, abraços) com as figuras parentais e no meio familiar. A criança que passou por esse diálogo tônico corporal com os cuidadores terá facilidade de estabelecer um contato afetivo e sexual saudável, mesmo que haja momentos de ansiedade com a situação nova. Ao contrário, quem não vivenciou tais experiências terá dificuldade de aceitar toques, manifestar gestos de carinho e entregar-se a uma experiência sexual prazerosa. Certa adolescente desenvolveu imensa resistência ao ato sexual por sentir dores com a penetração (dispareunia), passando a evitar a relação sexual com o namorado. Ao longo do processo terapêutico, tomou consciência dos introjetos dados pela mãe sobre "ser mulher": "Homem só quer transar, menina que dá cedo é vagabunda". Voltando atrás no relacionamento dos pais, não se lembrou de ver um gesto de carinho entre eles nem de ser acarinhada – como se fosse proibido mostrar afeto e desejo diante dos filhos.

Discorrendo sobre sexualidade segundo definição da Organização Mundial da Saúde (OMS), Santos (2015, p. 46-49) ainda a conceitua como um processo que pode ser manifestado

> por meio de ideias, fantasias, anseios, atitudes, crenças, ações, experiências comportamentais e afetivas e relacionamentos. [...] a sexualidade não se restringe somente ao comportamento sexual, sua representação epidemiológica mais popular, mas engloba, também, a dimensão do desejo e das atitudes, estas menos exploradas em pesquisas.

A orientação sexual (guiada pelo desejo e afeto) vai se definindo e guiando a escolha do parceiro. Tanto o rapaz quanto a moça podem ter fantasias homossexuais por experimentarem intimidade com os pares do mesmo sexo procurando conhecer o corpo e suas sensações, o que não determinará a homossexualidade. Uma adolescente de 16 anos revelou que, depois de terminar o namoro com um garoto de 18, que teve um caso com um amigo, começou a namorar uma menina; os pais reagiram com extrema rejeição, proibindo-a de levar a moça à sua casa. Para ela, tudo isso era visto com naturalidade: "Não vejo nada demais, ontem eu gostava de menino, hoje eu gosto de menina. Minha sexualidade não é fechada e não preciso me definir como hétero ou homossexual, simplesmente sou o que desejo e fico com quem me dá prazer e me faz sentir bem". No entanto, há quem se assusta com o desejo e as fantasias relacionados a pessoas do mesmo sexo. Há ainda os que se preocupam com "o que o terapeuta vai pensar de mim se eu colocar aspectos da minha sexualidade" e só fazem isso depois de estabelecida uma relação de profunda confiança entre eles.

Outra questão interessante é que a sexualidade do adolescente mobiliza também a sexualidade dos pais do ponto de vista do comportamento, de fantasias e valores, fazendo-os repensar sua relação de casal, a vida sexual, os tabus sexuais e até mesmo suas fantasias sexuais. Nesse processo recíproco de despertar da sexualidade, há pais (figura masculina) que se sentem mobilizados sexualmente pela filha que agora tem um corpo de moça. Assim, evitam o contato físico comum na infância, temendo o próprio desejo erótico. Já a adolescente não compreende essa atitude: custa-lhe crer que seu corpo se tornou objeto de desejo sexual do próprio pai.

Modelo de casal, de relacionamento homem/mulher, os pais serão tomados pelo adolescente na construção de suas escolhas de parceiros sexuais e início de vida sexual. O homem que o pai é e foi internalizado influirá no homem que o filho quer se tornar (por identificação ou por rejeição da figura paterna). E a mulher que a mãe é e foi internalizada influenciará na escolha da mulher que o filho deseja e necessita. O mesmo se dá para a menina-mulher, que constrói uma representação de homem e mulher das figuras parentais que orientarão seu comportamento sexual e de gênero. O modo de se relacionar com o outro, como mulher ou homem (identidade de gênero), origina-se de padrões afetivos experienciados no campo criança/pais/ambiente e de experiências introjetadas de forma inconsciente.

Modalidades de intervenção clínica em Gestalt-terapia

TRABALHANDO COM O ADOLESCENTE

O atendimento a adolescentes ocupa lugar distinto no campo da clínica com a criança e com o adulto. Enquanto a criança é trazida à terapia pelos pais e os adultos chegam por escolha própria ou indicação médica, com os adolescentes vemos basicamente os seguintes modelos:

Alguns procuram a psicoterapia espontaneamente para trabalhar questões próprias desse período de desenvolvimento. Os temas centrais trazidos estão ligados às questões corporais e à definição de sua identidade, como sexualidade (namoro, relação sexual, dúvidas pertinentes à orientação sexual, gravidez e aborto), transtornos alimentares, automutilação, conflitos familiares, dificuldade na escolha do curso superior a seguir, angústia de ser rejeitado pelos pares (ser excluído de grupos sociais ou não pertencer a um grupo), depressão, ansiedade, baixa autoestima e questões relacionadas à sua autonomia.

Outros são encaminhados pela escola por problemas relacionados ao desempenho escolar, dificuldade de aceitação de regras, consumo de drogas, atividades antissociais, tendências suicidas e cibervício (vício em internet).

Alguns adolescentes são encaminhados pelo médico, principalmente quando apresentam sintomas psicossomáticos, tais como dermatites, alterações de sono, gastrites e cefaleias. Outros ainda chegam por imposição dos pais, que em geral lidam mal com essa fase devido a conflitos oriundos de agressividade e rebeldia, levando os jovens à terapia sem que estes concordem.

A postura do psicoterapeuta varia com a maneira como o adolescente chega à terapia, mas a construção do vínculo afetivo e da confiança é fundamental ao processo. Certos adolescentes chegam com uma carga emocional de raiva muito grande e a projetam no terapeuta, que no seu exercício profissional deve acolher com delicadeza, paciência e firmeza o conteúdo emocional que afeta esse jovem fragilizado.

RECEBENDO O ADOLESCENTE

Ao receber um adolescente para psicoterapia, o Gestalt-terapeuta deve inteirar-se do mundo circundante do cliente. Muitas vezes, ele se apresenta de maneira agressiva ao terapeuta porque, sendo este adulto, em sua fantasia estará em conluio com os pais e naturalmente contra ele. Começa aqui a árdua e sensível tarefa de criar o vínculo bilateral terapeuta/adolescente. Tal vínculo deve ser autêntico e ficar explícito. Nas sessões iniciais de uma adolescente resistente à terapia, eu disse a ela que durante nossos primeiros encontros iríamos, além de nos conhecer, decidir em conjunto sobre a continuidade ou não dos encontros terapêuticos. Quando a confiança é estabelecida, o adolescente sente-se confortável e inteiro na relação terapêutica.

Por vezes, é tal a dificuldade de o adolescente ser visto como é que o *setting* terapêutico se torna o único lugar onde ele pode de fato falar abertamente sobre seus sentimentos. Uma garota que havia começado um namoro experimentava um verdadeiro frenesi a cada sessão, tamanho era o desejo de compartilhar sentimentos, dúvidas e inquietudes diante desse novo acontecimento. As questões sobre sexo e relacionamento predominavam nos encontros terapêuticos.

Ao trabalhar com adolescentes, Oaklander (2006) costuma encontrar-se também com os pais na primeira sessão,

Modalidades de intervenção clínica em Gestalt-terapia

a fim de conhecer suas ideias sobre a vida. Cornejo (2007) opta por encontrar os pais na primeira sessão para que eles expressem o motivo da consulta e só depois recebe o adolescente, exceto quando este manifesta o desejo de ser entrevistado primeiro.

Não existe um modelo a ser seguido na prática clínica em Gestalt-terapia. Em certas ocasiões o próprio adolescente pede para entrar primeiro; em outras, os pais marcam a primeira entrevista; em outras ainda, a família toda entra junto. É interessante observar que a forma como eles chegam mostra a configuração familiar. O importante na primeira sessão é que tenhamos entrevistas iniciais com os pais para conhecer a dinâmica familiar do ponto de vista destes, abrindo também a possibilidade de acolhê-los e orientá-los em suas incertezas. Inicia-se assim o trabalho do Gestalt-terapeuta.

Para conhecer o adolescente, devemo-nos inteirar de seu mundo (escola, amigos, lazer, religião, família, sexualidade) – enfim, do campo existencial que compõe sua vida. Por ter ainda características de sua infância, mas também algumas do mundo adulto, o atendimento ao jovem pressupõe que ele mostre nos atendimentos certo encantamento com esse mundo novo que se apresenta a ele, sua rebeldia, sua dificuldade de assumir outras responsabilidades, seu deslumbramento com novas possibilidades de ser (dirigir, votar, experimentar bebidas alcoólicas, frequentar baladas).

Nesse trabalho de integrar acontecimentos externos com experiências internas, é fundamental explorar o sentimento de amor-próprio (imagem, pensamentos e sentimentos que tem de si mesmo), uma vez que este afeta sua forma de se relacionar com os outros, suas escolhas amorosas, o sucesso ou fracasso do desempenho escolar, o sentir-se capaz, aceito, amado. Quanto mais ele se respeita e se ama, mais confiança tem em si e maior é sua capacidade de autossuporte.

Nesse sentido, é imprescindível a *presença do terapeuta*. O contrato com o jovem deve ser claro para dar contorno ao trabalho. Para Cornejo (2007), o contrato determina a frequência, a duração, o pagamento, o trabalho nas sessões, as atividades durante a semana para pensar e refletir, os recursos que serão utilizados, as faltas e os atrasos. É muito importante esclarecer que os encontros serão sigilosos, para assegurar a confiança na relação. É fundamental também definir a forma de pagamento (por sessão, quinzenal ou mensalmente) – o qual costuma ser feito pelos pais ou pelo seguro-saúde – e, ainda, abordar o comprometimento responsável do terapeuta com o cliente, para que fique evidenciado que o cliente é o adolescente e não seus pais.

O PROCESSO TERAPÊUTICO

Enquanto as crianças expressam seus sentimentos e descobrem suas potencialidades por meio do brincar e os adultos se revelam e desvelam por intermédio de suas experiências, com os adolescentes o processo é diverso. Sua compreensão do mundo circundante alterna-se de acordo com as novas experiências que vivem. Uma mudança de escola, uma nota baixa, uma decepção amorosa, um castigo imposto pelos pais, uma perda, um luto, o vestibular são fatos que alteram o seu viver e, consequentemente, sua história de vida adquire novo significado. Muitas vezes é importante que ele registre suas experiências para entendê-las e ressignificá-las. Um bom recurso é o caderno de terapia, usado tanto nas sessões como em casa. O adolescente registra, desenha, cola figuras, pequenos objetos, borrifa perfume ou qualquer outra coisa que dê sentido aos sentimentos e experiências vividos. Apresentar esse caderno no início da terapia fortalece os laços de confiança, uma vez que carrega a ideia de segredo, sigilo, como se fosse um diário. Esse caderno, que pode ser revisitado toda vez que o adolescente e/ou terapeuta acharem necessário, facilita a ampliação da *awareness*.

Outro aspecto da terapia com adolescentes diz respeito ao seu comportamento, que se altera a cada sessão. Às vezes ele chega afetuoso, cooperativo, com ideias novas, entusiasmado e falante, mas na semana seguinte mostram-se calado, ríspido, não aceitando fazer nada proposto pelo terapeuta, nem mesmo querendo estar ali. Nossa tarefa é acolher essa diversidade e entender que se trata de seu processo de separação e individuação, de conflitos e experiências novas.

No caminho psicoterapêutico com as fronteiras expressivas do *self* e do ego, quando o adolescente aceita suas diversas e possíveis formas de manifestação e de escolhas, a preocupação com a opinião dos outros é amplamente reduzida e seu autossuporte cresce. Afirmam Perls, Hefferline e Goodman (1997, p. 49):

> Nosso método terapêutico é treinar o ego, as diferentes identificações e alienações, por meio de experimentos com uma *awareness* deliberada das nossas variadas funções, até que se reviva espontaneamente a sensação de que sou eu que estou pensando, percebendo, sentindo e fazendo isto.

A "caixa de ferramentas" é ampla e diversa. O terapeuta deve ser criativo e atento às necessidades do cliente durante as sessões. De acordo com o tema de cada encontro, proporá experimentos que facilitem a expressão das dificuldades, possibilidades e emoções do cliente, bem como o contato com elas.

Podemos utilizar fotografias, desenhos, tintas, argila, telas, filmes, desenho do contorno do corpo, colagem, textos, frases a completar, signos do zodíaco, cartas de tarô – enfim, tudo que possa facilitar o contato do adolescente com seus conflitos, dificuldades, potencialidades e características de personalidade. Os jogos de tabuleiro também constituem excelente recurso para trabalhar frustrações, cooperação e competitividade.

Adolescentes com anorexia ou bulimia (distúrbios psicológicos decorrentes de distorção da imagem corporal e da desconexão com o corpo real) necessitam de experimentos com o corpo para promover a conscientização corporal e o contato com aquelas partes alienadas e temidas do organismo. Os transtornos alimentares revelam um drama psicocorporal em que o adolescente não consegue sentir-se dono do próprio corpo e recusa seu corpo-eu. "Engoliu" muitos alimentos tóxicos (introjeções) sobre si, sobre como deve ser e se comportar – o que é demonstrado de modo concreto quando ele come indiscriminadamente (ou se recusa a comer, como na anorexia) sem mastigar, sem triturar, sem digerir os alimentos sólidos. Não habita o seu corpo como sujeito consciente de sua individualidade e responsável por seus males, dores, amores, felicidade. Falta-lhe integrar o corpo objeto/sujeito e desfazer-se dos alimentos tóxicos introjetados. Os temas relativos ao

Modalidades de intervenção clínica em Gestalt-terapia

corpo podem ser trabalhados com fotografias, recortes de revistas, argila, filmes e desenhos que facilitem um contato real com seu corpo vivido, percebido e representado.

A obesidade é outra causa de procura da terapia. Alimentação inadequada, fatores hormonais, genéticos e emocionais e falta de atividade física podem ter como consequência a obesidade – que leva desde muito cedo a colesterol alto, diabetes e doenças cardiovasculares, entre outras.

O Gestalt-terapeuta não pode lidar sozinho com a obesidade e os distúrbios alimentares. A ele cabe acolher o jovem, ajudando-o a compreender o que se passa com ele. Além disso, uma equipe multidisciplinar, composta por endocrinologista, nutricionista e psiquiatra, o ajudará a lidar com a situação.

Temas relativos à sexualidade podem ser trazidos à tona por meio de revistas, livros elucidativos para ser lidos com o terapeuta e jogos.

Manter no consultório uma caixa de perguntas constitui um recurso facilitador e lúdico que pode ser utilizado em terapia de grupo e com todos os clientes – pois promove o inter-relacionamento entre eles sem que nem mesmo se conheçam. Cada adolescente coloca na caixa, por escrito, uma questão sobre sexo, sem se identificar. As perguntas permanecem na caixa e são sorteadas pelo cliente, compartilhadas com o terapeuta e respondidas por um ou outro. As meninas gostam de saber sobre menstruação, gravidez, bebês e namoro, enquanto os meninos preferem perguntas mais objetivas sobre a relação sexual. Trabalhar essas questões pode elucidar aos jovens conceitos erroneamente aprendidos.

Um tema comum na terapia com adolescentes é o da amizade: confiança e traição são recorrentes na vida do jovem, que em geral experimenta uma decepção até maior do que quando é traído pelo parceiro amoroso, uma vez que os amigos são parte significativa de seu mundo. Confiar nas pessoas toma uma nova configuração, e o jovem pode voltar-se para a família, vendo-a como porto seguro.

A técnica da cadeira vazia para estabelecer diálogos com os pais e com os amigos que elucidem o conflito dominador *versus* dominado é um recurso que costuma ser aceito pelo jovem, que tem a oportunidade de se colocar no lugar dos outros que estão introjetados em si. Essa técnica consiste em levar o jovem a imaginar diante de si aqueles de que deseja se aproximar ou com quem está em conflito e encenar uma conversa entre as partes até que emirja certa consciência dos conteúdos projetados no outro.

Temas referentes ao autoconhecimento e à afirmação do eu – como eu sou; como eu gostaria de ser; o que é ser adolescente; o que é ser feliz; passado, presente e futuro; uma escola feliz; uma parte de que não gosto em mim – podem ser trabalhados com recursos artísticos.

Um assunto que costuma gerar inquietação diz respeito à escolha profissional. Com cerca de 16 anos, o adolescente deve começar a vislumbrar a futura profissão. Alguns já têm uma posição certa quanto ao futuro, mas outros simplesmente adiam essa escolha. Recortes, entrevistas com profissionais e dramatização de profissões são alguns dos recursos que podem ser utilizados durante as sessões. Nesse processo de escolha profissional, devemos ter como figura o real desejo do jovem ou se sua escolha refere-se a introjeções familiares que muitas vezes o direcionam a um caminho que não condiz com sua vocação. Entrevistas com os pais podem ajudá-los a compreender que podem estar projetando seus desejos no filho.

Outra preocupação de pais e educadores diz respeito aos episódios de alcoolismo por parte dos adolescentes – que costumam se intensificar à medida que estes passam a frequentar festas e querem experimentar aquilo que até então era proibido ou constitui novidade. Todo jovem tem seu primeiro porre, mas continuar a beber muito pode desencadear comportamentos agressivos ou até mesmo antissociais. É preciso orientá-lo sobre os perigos do excesso de álcool e fumo, que podem ser a porta de entrada para outras drogas.

Os adolescentes são intensos. Frustrações ou alegrias são vividas com tamanha intensidade que chegam a sair do controle. Entre os distúrbios da contemporaneidade está a automutilação: para aliviar a dor, o adolescente provoca uma dor física para lidar com a dor emocional. Machuca-se, corta-se e sente grande alívio – para experimentar enorme culpa em seguida. O Gestalt-terapeuta deve preparar-se para receber adolescentes acometidos por esse e por outros distúrbios. Cuidar para que o jovem melhore a autoestima e se fortaleça é crucial no trabalho psicoterapêutico. Integrar novas figuras em seu mundo e amadurecer para aceitar frustrações próprias do percurso da vida faz parte do desenvolvimento. Facilitar ao adolescente essa compreensão é uma tarefa de ampliação de *awareness*. O trabalho com a *self-box*[1] pode ajudá-lo a resgatar e revisitar sua história de vida.

---

1 *Self-box* – a caixa do Eu – é um recurso ludoartístico em que a pessoa coloca dentro de uma caixa objetos e fotos que são importantes para ela, compartilhando esse conteúdo com o terapeuta. Trata-se de uma ferramenta interessante, uma vez que o adolescente muitas vezes pede a opinião de colegas, pais e professores sobre o que pode colocar na caixa. Ao entrar em contato com tais objetos, ele revisita sua história e a reconfigura.

TRABALHANDO COM GRUPOS

Quando é possível trabalhar em grupo, as sessões tornam-se muito produtivas, pois o adolescente se encontra com "iguais" e as atividades de autoconhecimento sugeridas proporcionam um diálogo intergrupal acolhedor e, por que não dizer, conflituoso. Os jovens trazem temas pertinentes ao seu momento atual: família, escola, escolha profissional, sexualidade etc. A função do Gestalt-terapeuta na terapia de grupos é acolher, mobilizar e propor experimentos, viagens de fantasia, filmes e outros recursos lúdicos e artísticos. Os adolescentes aceitam muito bem a terapia em grupo, seja em consultório, em instituições e até mesmo em trabalhos preventivos nas escolas.

Os adolescentes se espelham, se compreendem e se dão *feedbacks* que são mais ouvidos do que quando feitos pelos pais ou pelo próprio terapeuta. As sessões em grupo são gratificantes tanto para os jovens quanto para o terapeuta, já que a atenção deste se dilui entre os participantes e um tema levantado por um deles pode reverberar nos outros, ampliando sua *awareness*.

Um fenômeno que já observamos é o fato de os adolescentes desenvolverem uma amizade extraconsultório, saindo juntos. Ora, uma vez formado o vínculo entre os participantes do grupo, este pode ser fortalecido e criar laços de amizade, ou seja, uma confluência saudável a partir de encontros terapêuticos.

TRABALHANDO COM PAIS, IRMÃOS E AMIGOS

O trabalho com adolescentes também envolve sessões de orientação com os pais e sessões familiares durante as quais, num ambiente terapeuticamente suportivo, pais e filhos podem se colocar com a mediação do terapeuta. Tais encontros visam facilitar a comunicação entre eles e fornecer um ambiente acolhedor e respeitoso para que todos possam colocar seus sentimentos e inquietudes. A figura pode alternar-se do conflito ao carinho, permitindo à família buscar novas formas de entendimento. Jogos de construção, de lógica e de tabuleiro por vezes são a única oportunidade de a família realizar uma atividade em conjunto, constituindo-se assim em importante recurso terapêutico. Nesse sentido, a técnica da "lição de casa" propicia momentos de união. Tais lições, combinadas durante a sessão, podem incluir assistir a um filme juntos, cozinhar, realizar um passeio etc.

Ainda no trabalho com famílias, Cornejo (2012) aponta a importância das sessões com os avós, que muitas vezes são a referência do jovem. Entrevistas com os avós revelam aspectos dos pais que são omitidos por eles e ajudam-nos a compreender melhor a dinâmica familiar.

É comum também que os adolescentes levem amigos para nos apresentar – que inclusive chegaram a entrar na sessão para que ambos conversassem sobre determinado tema ou resolvessem pendências.

CONSIDERAÇÕES FINAIS

A psicoterapia com adolescentes deve ser orientada para as temáticas específicas trazidas por esse público, identificando e explorando a figura dominante do ciclo de formação figura e fundo ligado aos seus desejos e necessidades. O adolescente, como a criança, vive o presente, o problema imediato, por isso a terapia terá mais êxito se focalizar o aqui e agora do processo

Lilian Meyer Frazão e Karina Okajima Fukumitsu (orgs.)

terapêutico e da vida atual do adolescente, voltando-se para a *awareness* de seu funcionamento mente-corpo-ambiente.

Toda intervenção intenciona facilitar a reflexão e a ampliação da *awareness* por meio de experimentos que promovam a autorregulação e novas formas de ajustamento criativo, de modo que possibilite ao adolescente reorganizar o contato na fronteira, reconstruindo assim as relações interpessoais nos diversos campos relacionais (pais, professores, amigos, grupos sociais) a que pertence.

Atender a adolescentes pressupõe revisitar a própria adolescência. "Voltar a ser adolescente" ajuda o terapeuta a entrar em contato com temas relativos à própria adolescência, aos conflitos vividos com o corpo, com os pais, com a família e com os amigos, para dessa forma compreender melhor e exercitar o seu eu-terapeuta.

REFERÊNCIAS

Antony, S. "Os ajustamentos criativos da criança em sofrimento: uma compreensão da Gestalt-terapia sobre as principais psicopatologias da infância". *Estudos e Pesquisas em Psicologia*, v. 9, n. 2, 2009.

Cornejo, L. *Manual de terapia gestáltica aplicada a los adolescentes*. 4. ed. Bilbao: Desclée de Brouwer, 2007.

_____. *El espacio común*. Bilbao: Desclée de Brouwer, 2012.

Ferguson, R.; O'Neil, C. "Late adolescence: a Gestalt model of development, crisis, and brief psychotherapy". In: McConville, M.; Wheeler, G. *The heart of development: Gestalt approaches to working with children, adolescents and their worlds*. v. 2. Hillsdale: The Analytic Press, 2001.

Levin, E. *A clínica psicomotora: o corpo na linguagem*. 4. ed. Petrópolis: Vozes, 1991.

McConville, M. *Adolescence: psychotherapy and the emerging self*. São Francisco: Jossey-Bass, 1995.

Merleau-Ponty, M. *A natureza*. São Paulo: Martins Fontes, 2000.

Mirabella, A. M. "Afetividade na adolescência". In: Zanella, R. (org.). *A clínica gestáltica com adolescentes: caminhos clínicos e institucionais*. São Paulo: Summus, 2013.

Modalidades de intervenção clínica em Gestalt-terapia

OAKLANDER, V. *El tesoro escondido*. Santiago: Cuatro Vientos, 2006.

PERLS, F. "Quatro palestras". In: FAGAN, J.; SHEPHERD, I. *Gestalt-terapia: teoria, técnica e aplicações*. Rio de Janeiro: Zahar, 1971, p. 26-60.

PERLS, F.; HEFFERLINE, G.; GOODMAN, P. *Gestalt-terapia*. São Paulo: Summus, 1997.

PERLS, L. *Viviendo en los limites*. Valência: Promolibro, 1994.

POLSTER, E.; POLSTER, M. *Gestalt-terapia integrada*. São Paulo: Summus, 2001.

SANTOS, R. S. S. *Na escuridão do arco-íris: a vivência das relações afetivo-sexuais de jovens gays após o diagnóstico de HIV*. Dissertação (mestrado em Ciências), Universidade de São Paulo, São Paulo, SP, 2015.

VAYER, P. *A criança diante do mundo*. Porto Alegre: Artes Médicas, 1986.

5
O trabalho com idosos em Gestalt-terapia

JORGETE DE ALMEIDA BOTELHO

Segundo a Organização Mundial da Saúde (WHO, 2014), a população mundial com mais de 60 anos vai passar dos atuais 841 milhões para 2 bilhões até 2050. O grande desafio da saúde pública global serão as doenças crônicas e o bem-estar dos idosos. No Brasil, somente no início dos anos 1990 a existência dos idosos passou a receber, mais atenção. Desde então, vem crescendo o interesse científico sobre o envelhecer, e os idosos, aos poucos, tornam-se mais presentes nos consultórios médicos e de psicologia na busca de qualidade de vida e de possibilidades de escuta, cuidado e realizações. Há uma diferença significativa entre o idoso de antes e o de hoje.

A partir do que foi exposto, neste capítulo apresentarei meu trabalho como Gestalt-terapeuta nas diversas modalidades de atendimento psicológico a idosos. Abordarei a clínica ampliada em diferentes contextos: consultório, residência, empresa e Instituição de Longa Permanência (Ilpi). Apontarei a importância do olhar, da intervenção e da mediação do profissional de psicologia no campo interdisciplinar da gerontologia. A exposição teórica terá como pano de fundo os conceitos gestálticos de necessidade, autorregulação organísmica, autossuporte e heterossuporte, ajustamento criativo, *awareness* e hierarquia de necessidades compartilhadas.

Partindo de um ponto de vista holístico, podemos compreender o processo de envelhecimento como fenômeno biopsicossocial. Dessa forma, é preciso olhar não somente para as mudanças individuais na senescência, mas também para aspectos históricos, culturais e sociais, que interferem de maneira simultânea na qualidade de vida daqueles que envelhecem. Diz-se que, hoje, não existe a velhice, mas velhices: trata-se de uma experiência única para cada indivíduo.

No final do século XIX, os avanços da medicina permitiram diferenciar velhice de enfermidade, atenuando-se desde então a visão de inutilidade e doença associada a essa etapa da vida. No século XX, surgem a geriatria e a gerontologia. A primeira aborda o estudo, a prevenção e o tratamento de doenças e da incapacidade em idades avançadas. A segunda estuda o envelhecimento em si. Surge então o lema "Acrescentar vida aos anos, não apenas anos à vida". Logo, o sucesso do envelhecimento depende do aumento da expectativa de vida, bem como de sua qualidade.

A Organização Mundial da Saúde (OMS) define qualidade de vida como "a percepção do indivíduo de sua posição na vida no contexto da cultura e sistemas de valores nos quais ele vive e em relação aos seus objetivos, expectativas, padrões e preocupações" (WHO, 2002). E, segundo Neri (1993), a qualidade de vida na velhice está diretamente relacionada à interação de vários fatores construídos ao longo da existência –

como carga genética, estilo de vida, relações sociais e familiares, capacidade laborativa, educação, suporte econômico e ambiente físico.

Por determinação da ONU (UN, 1999), o envelhecimento ativo passa a ser concebido como o "processo de otimização de oportunidades de bem-estar físico, mental e social, ao longo da vida, a fim de aumentar a expectativa de vida saudável e a qualidade de vida na velhice".

O processo de envelhecimento é considerado o mais longo do ciclo vital, requerendo por isso uma construção e reconstrução permanente do idoso em toda a sua esfera de vida. Trata-se de um processo contínuo, porque pressupõe um caminho a ser seguido do nascimento até a morte. A capacidade funcional se reduz naturalmente com o passar do tempo, o que é vivenciado pelo idoso como um dos fatores mais preocupantes e angustiantes. Dificuldade de locomoção, declínio auditivo, visual e cognitivo, além de doenças crônicas, demandam que ele busque intervenções profissionais. Esses aspectos contribuem muito para o estigma de velho "inútil" que nossa sociedade impõe. No dizer de Ecléa Bosi (1994, p. 18), "ser velho é lutar para continuar sendo homem". Todas as áreas do conhecimento humano preocupam-se em estimular o idoso a ser independente e a prevenir incapacidades.

A CLÍNICA COM IDOSOS

Segundo Brink (1983, p. 126), a grande pioneira em psicoterapia geriátrica foi Lillien J. Martin, psicóloga americana lembrada por sua energia ilimitada e por seu entusiasmo contagiante. Após aposentar-se, deixando uma carreira acadêmica bem-sucedida, fundou, em 1929, o Centro de Consultoria para a Velhice de São Francisco. Durante as duas décadas seguintes, escreveu três livros nos quais esboçou o "método Martin" de consultoria geriátrica (Martin e DeGruchy, 1930, 1933; Martin, 1944).

A busca de psicoterapia nos últimos anos cresce em importância para o idoso. Ela não só o ajuda a lidar com as perdas inerentes à idade ou a problemas específicos de saúde, como sobretudo potencializa suas capacidades e possibilidades de ter uma vida mais ativa e prazerosa.

O idoso que chega ao consultório muitas vezes é trazido por familiares ou encaminhado por seu médico. Depressão, solidão, síndrome do ninho vazio, problemas familiares e esquecimentos constantes são as principais causas de angústia. Em geral, o cliente atingiu 60 e poucos anos de idade e pela primeira vez se enquadra cronologicamente na velhice. Ele necessita se conhecer, reavaliar sua vida e encontrar novos horizontes.

Em todos os casos, no dizer de Laura Perls (1970, p. 179),

[...] o problema básico não só da terapia, mas da vida, é como tornar a vida vivível para um ser cuja característica dominante é a sua consciência de si próprio como indivíduo único, por uma parte, e da sua mortalidade, por outra. A primeira dá-lhe um sentimento de esmagadora importância e a segunda um sentimento de medo e frustração.

Nesse momento da vida, entre um polo e outro o que se torna presente na velhice como figura são as incertezas, os temores, a proximidade da finitude e o sentimento de não ter vivido tudo aquilo que podia. O tempo cronológico determina, limita e pesa. O tempo interno oscila entre o que pode e o que não pode, o que quer e o que não quer, o que deve e o que não deve.

A crença em si mesmo encontra-se contaminada por outras crenças que eventualmente foram introjetadas a respeito do envelhecimento. Alguns dizem: "Estou fazendo 70, 80 anos de idade. Isso é o final, não posso mais planejar, o que os outros vão pensar?" Para Negreiros (1999, p. 107), "a visão da velhice como a 'antessala' da morte mobiliza os mais velhos". Mesmo que estejam lúcidos, sem nenhum comprometimento físico ou mental, insistem em pensar dessa forma. Perls (1977, p. 50) afirmava que "vivemos em meio a clichês". Vivemos de acordo com um comportamento padronizado. Desempenhamos os mesmos papéis repetidamente". Muitos idosos acabam se ajustando às regras sociais e familiares, não se permitindo viver de modo pleno. Perls (ibidem, p. 51) enfatiza que "o papel do bom cidadão requer que ele seja previsível, por causa do nosso anseio de segurança, de não correr riscos, de nosso medo de sermos autênticos [...]".

De uns anos para cá, é comum encontrarmos idosos nos consultórios de psicologia que desejam viver mais plenamente, libertando-se dessas crenças que imobilizam seu caminhar. Buscam seguir em frente, conquistando e renovando suas possibilidades. Seu lema é a prevenção de problemas de saúde e a manutenção da qualidade de vida. Eles utilizam seu potencial criativo para conquistar e manter um envelhecimento bem-sucedido. Segundo Guerreiro e Caldas (2001, p. 82),

> [...] pensar numa trajetória de envelhecimento bem-sucedido leva-nos a refletir sobre o ideal de autonomia, sobre a possibilidade de

Modalidades de intervenção clínica em Gestalt-terapia

o indivíduo seguir o curso de sua vida mantendo [...] sua identidade e [...] sua capacidade de interagir no mundo, fazendo opções ajustadas às suas necessidades e reconhecendo que é também autor de uma história singular.

A Gestalt-terapia oferece a essas pessoas um espaço para que, de acordo com Silveira (2004, p. 66) elas "estejam aware de suas necessidades e de seu potencial para satisfazer-se. Estar aware (dar-se conta) do seu processo para a satisfação das necessidades contribui para que elas se vejam de uma forma melhor". Assim, os idosos aprendem a ser protagonistas do seu envelhecer, permitem-se navegar no ir e vir de suas lembranças no aqui e agora. Recordar permite ao idoso reviver, com uma carga energética, o passado no presente, avaliando assim sua vida por outros prismas. Para Hegel (apud Bosi, 1994, p. 74) "é o passado concentrado no presente que cria a natureza humana por um processo de contínuo reavivamento e rejuvenescimento". A vontade de revivência arranca do que passou seu caráter transitório e libera novas possibilidades de encontros e configurações. Quando desiste do próprio passado, o idoso defronta-se com um vazio que o impossibilita de encontrar recursos próprios para a elaboração de seus lutos e perdas.

Novaes (1995, p. 21) aponta certas posturas comuns no envelhecimento, denominadas por ela de 9 "Rs":

Resgate de valores e modos de viver; Ruptura com situações que tiveram que ser suportadas; Retomada de planos; Ressurgimento de dimensões pessoais; Restauração de desejos e necessidades; Retorno de emoções e sentimentos; Recaída constante; Recordação permanente de lembranças passadas e Reconstrução da identidade pessoal e social.

A depressão é um dos principais motivos de busca de ajuda. Segundo estudos da gerontologia, trata-se do mais preocupante problema psiquiátrico entre idosos – e nenhum outro grupo etário tem uma porcentagem tão elevada de casos. A depressão costuma ser de natureza reativa, devido a acontecimentos existenciais significativos, que representam afastamentos da esfera de ação social. Mais comum entre os doentes orgânicos, os viúvos e os aposentados, sua principal dinâmica intrapsíquica é o sentimento de inferioridade ocasionado pela falta de sentido e de utilidade existenciais.

A heterogeneidade e a complexidade são as marcas da depressão no idoso. Os dados da literatura sugerem que os transtornos afetivos na velhice não se manifestam da mesma forma estereotipada como nos jovens. Alguns aspectos contribuem para dificultar o diagnóstico. São eles: sobreposição de sintomas físicos e psicossomáticos, manifestação leve de humor deprimido, somatização das queixas físicas, pseudodemência, sobreposição da depressão à demência, acentuação de características atípicas da personalidade, distúrbios de comportamento e apresentação tardia de alcoolismo.

Geralmente, o idoso se encontra enlutado, sem força, contabilizando suas perdas ao longo da vida. Existe uma ideia arraigada e errônea de que a depressão é um fato "normal" na velhice. O acompanhamento psicoterápico, por vezes aliado ao tratamento medicamentoso com um psiquiatra, pode propiciar melhora. Os resultados são favoráveis no momento em que o cliente aceita investir no seu processo de mudança. Ao se

Modalidades de intervenção clínica em Gestalt-terapia

permitir viver sua dor sem constrangimento, ele aos poucos se liberta para novas experiências, usando seu potencial criativo para realizar-se como ser humano.

Outra abordagem psicoterapêutica crescente no consultório refere-se aos quadros demenciais. Demências são doenças neurodegenerativas que comprometem a memória e o funcionamento social e ocupacional do paciente, o qual apresenta dificuldade de controlar emoções e resolver problemas, além de mudanças na personalidade e no comportamento. Esse processo pode se dar de modo lento ou abrupto, dependendo dos fatores causais. As manifestações clínicas ocasionam grande sofrimento no paciente e em seus familiares.

Quase sempre, é o cuidador familiar que busca ajuda por orientação do neurologista ou geriatra. O paciente percebe que algo não está bem com ele: as falhas da memória são visíveis e ele já se submeteu a vários exames. Sua emoção está à flor da pele. Alguns já dizem ter uma demência, outros não.

O primeiro atendimento é realizado com a família. Em geral, é o cuidador familiar que comparece, uma vez que tem mais contato com o idoso e é o responsável por ele. Nesse primeiro momento, realizamos um levantamento da história clínica, familiar e social do idoso. Mais tarde, todos os demais familiares serão inseridos nos atendimentos para receber orientação sobre a doença e o tratamento. Quanto maior for a inclusão de todos os membros, maior será a rede de apoio e menor o desgaste futuro para o cuidador familiar. Abordarei mais adiante o papel da família – sobretudo do cuidador informal – na longevidade.

O espaço terapêutico deverá ser um lugar de acolhimento para o paciente. Em primeiro lugar, o atendimento visa estabelecer um vínculo de confiança e empatia. Esse contato deverá ser realizado de forma natural e delicada, pois em geral ele está assustado com os sintomas que já percebe em si e são notados por outras pessoas – perguntar a mesma coisa várias vezes, esquecer onde colocou algo, sentir-se perdido no meio da sala, colocar determinado objeto em um lugar estranho. Muitos idosos chegam fragilizados, deprimidos e chorosos. Não devemos apontar seus esquecimentos e confusões, pois além de estarmos iniciando uma relação terapêutica esses sintomas são decorrentes da demência. Devemos apenas registrar, para nossa avaliação, que áreas da cognição estão mais comprometidas.

Silveira (2007, p. 53) alerta que

> [...] as pessoas portadoras de uma síndrome demencial, como qualquer outra, têm uma estrutura de personalidade, traços próprios, reações coerentes com aquilo que sempre foram. As mudanças ocorrem num estágio mais avançado da doença.

A autora assinala a importância de respeitar diferenças individuais e singularidades para não ficarmos presos às armadilhas de um diagnóstico que aprisiona.

Conforme o vínculo se fortalece, passamos a abordar os interesses do idoso, do que gosta e não gosta, estabelecendo, assim, um plano individual de tratamento, cujo objetivo principal é considerar as necessidades, preferências e possibilidades do cliente. Tais necessidades não se limitam às atividades de vida diária (AVDs), como comer, beber, tomar banho, mas abarcam também questões emocionais, espirituais e de criação de autonomia.

O Gestalt-terapeuta deve dispor, como heterossuporte, do tempo necessário para auxiliar o cliente a encontrar seu

Modalidades de intervenção clínica em Gestalt-terapia

autossuporte a fim de alcançar um funcionamento com o meio mais integrado e autorregulador. Seu olhar deve ser abrangente, levando em conta, além do seu déficit cognitivo, seus afetos e emoções, pois ele se encontra vulnerável pelas ameaças da perda da própria imagem, do desvanecimento do Eu e pela alienação social progressiva.

Dependendo do comprometimento cognitivo e do interesse do cliente, podemos fazer uso de recursos lúdicos para estimular a memória, utilizando jogos de baralho, quebra-cabeças, caderno de exercícios e pintura de mandalas. Trata-se de uma maneira de possibilitar outras formas de expressão e interação com o meio. Esse tipo de intervenção terapêutica contribui sobremaneira para desacelerar o processo demencial.

Recordo-me de um paciente que me ensinou a jogar xadrez. Tal fato devolveu a ele a confiança para poder realizá-lo. Isso se estendeu aos filhos, que ao visitar o pai passaram a jogar xadrez com ele. "O contato terapêutico deve ser agradável o bastante para mantê-lo interessado e cooperativo. É de suma importância que o terapeuta seja empático, envolvido, use a imaginação e tenha iniciativa" (Holden e Woods, 1995, p. 145).

Aqueles que apresentam limitações ocasionadas por depressão aguda, demências e doenças crônicas necessitam muitas vezes de atendimento psicológico domiciliar. Alguns moram sozinhos e não têm ninguém para acompanhá-los à consulta. Esse tipo de atendimento demanda a participação sistemática de diversos profissionais nos cuidados oferecidos ao paciente em casa, seja com o objetivo de prevenir problemas de saúde, seja para prestar assistência no caso de doenças já instaladas.

O atendimento domiciliar requer do psicólogo a capacidade de lidar com as limitações e possibilidades do *setting* terapêutico. O espaço domiciliar deve ser ocupado respeitosamente, para que os moradores não sintam a visita do profissional como uma invasão. O lugar apropriado para as consultas deverá ser escolhido pelo próprio cliente ou pelo familiar. Em alguns casos, quando a escolha for inadequada, o psicólogo proporá outro lugar. Os familiares é que darão as diretrizes de como se comportar em sua residência. Isso tudo exige do profissional criatividade para manter sua atenção e a do cliente focadas no atendimento, evitando possíveis interferências.

Anos atrás, atendi uma paciente com quadro demencial. Ela morava com o marido e a cunhada. O lugar destinado ao atendimento era a mesa da sala de jantar. No início, a intromissão dos familiares, da cuidadora e da empregada era comum. Talvez isso tenha ocorrido pela estranheza de receber um profissional em casa, pela angústia de ver o familiar dependente e fragilizado, pela dinâmica familiar, ou pela própria escolha do local de atendimento. Com o tempo, as intromissões foram diminuindo. Por vezes, incluí o marido ou a cuidadora na atividade terapêutica, facilitando assim o relacionamento entre eles. Em outras ocasiões, aproveitei para orientar as pessoas a agir com a paciente em determinadas situações. Na hora do canto – "Quem canta seus males espanta" –, a cunhada participava com animação, gerando assim um momento de intimidade com a paciente. A intervenção psicológica envolve, ao mesmo tempo, o paciente, a família e o cuidador formal.

O modo pelo qual a família se adaptará, buscando manter o equilíbrio diante da enfermidade de seu ente querido, dependerá dos recursos que ela tem para enfrentar esse fato e lidar com ele. Veremos, a seguir, um relato de caso de um familiar que retrata os ajustes necessários para esse cuidado.

Desde 2010 faço um atendimento domiciliar em que a cuidadora familiar é uma senhora de 90 anos, a qual chamaremos pelo nome fictício de Noêmia. Fui chamada para atender sua sobrinha de 84 anos, que apresentava quadro demencial. Logo de início, percebi quanto Noêmia precisava de apoio psicológico, apesar de aparentar dinamismo e bom humor. Ela também cuidava de uma irmã mais velha. Noêmia é a décima sexta filha e a caçula da família. O que a fez despertar para as próprias necessidades foi uma frase dita por mim: "Quem cuida precisa ser cuidado". Esse passou a ser seu lema. O tempo da consulta foi ampliado para atendê-la. As mudanças ocorridas após algum tempo de tratamento foram significativas. Ela aumentou o número de cuidadoras para ter mais liberdade para se cuidar. Comprou roupas novas, passou a fazer pilates e a participar do grupo Oficina da Memória, coordenado por mim. Mais tarde, passou a dormir sozinha em outro quarto, não mais com a irmã, a sobrinha e a cuidadora. Noêmia criou outro lema: "Mais um dia, mais uma janela aberta".

Recentemente, sua sobrinha faleceu e sua irmã foi internada. Agora, encontra-se em casa, bastante debilitada. Noêmia continua cuidando, rezando e aceitando ser cuidada. O luto está presente, mas sua força permanece. O amanhã? "Agradeço por mais um dia", diz ela.

O apoio psicológico oferecido a Noêmia favoreceu uma maior integração das experiências vivenciadas no cuidado e na responsabilidade com os familiares, permitindo a liberação e a melhor utilização do seu potencial criativo.

Com base nessas observações, constatamos que esse modo de atendimento exige do psicólogo maior flexibilidade e criatividade, já que nesse contexto o modelo clínico clássico se mostra rígido e ineficiente. O *setting* domiciliar tem várias limitações, mas também comporta inúmeras possibilidades de atuação. Uma delas é o contato com a realidade concreta do cliente: o profissional presencia a dinâmica familiar e registra os pontos frágeis do relacionamento entre as pessoas.

CUIDADOS PALIATIVOS: APOIO PSICOLÓGICO NA TERMINALIDADE

Todos sabemos que a morte é um processo natural, mas é difícil viver com essa consciência. Nossas atividades diárias são voltadas para a vida. Como assinala Rinpoche (1999, p. 24), "[...] a maior parte do mundo vive negando a morte ou aterrorizado por ela. Até falar da morte é considerado mórbido, e muitos acham que fazer uma simples menção a ela pode atraí-la sobre si".

Quase sempre, o processo de morte decorrente de uma doença crônica vem acompanhado de muito sofrimento físico e da perda gradual da qualidade de vida. Além do próprio paciente, seus familiares e cuidadores ficam profundamente angustiados com a expectativa de uma morte aguardada (Burlá, 2004).

Segundo a OMS (*apud* Doyle, Hanks e MacDonald, 1998, p. 3), cuidados paliativos são "os cuidados totais ativos a pacientes cuja doença não responde a tratamento curativo, sendo fundamental o controle da dor, de outros sintomas e problemas psicológicos, sociais e espirituais". Como essas intervenções não são voltadas para a cura, é comum que os profissionais, sobretudo os da área médica, se sintam desconfortáveis em reconhecer o quadro clínico. Afinal, foram treinados para curar, e sua impotência diante da doença pode ser encarada como fracasso.

O conceito de cuidado, originário da área da enfermagem, remonta ao início da vida humana:

> Sabe-se que, desde os primórdios da humanidade, a preservação da vida do grupo e a continuidade da espécie humana aconteceram graças ao cuidado, ao cuidar e ao cuidar-se [...] A garantia da existência e da sobrevivência resultou e continua resultando de um fator cotidiano traduzido pela antiga, mas ainda atual expressão "tomar conta", ou seja, cuidar [...] (Gonçalves e Alvarez, 2002, p. 757-58)

O cuidado é mais que um ato ou uma atitude: está presente em tudo. Para Heidegger (*apud* Boff, 1999, p. 34), o cuidado, como fenômeno ontológico-existencial básico, é o que torna humana a nossa existência.

Os bons cuidados ao fim da vida dependem do desejo e da possibilidade do paciente e de seus familiares de buscar e aceitar profissionais que ofereçam assistência individualizada respeitando os limites impostos pela doença. As intervenções para prolongar a vida a qualquer custo e de maneira artificial, por meio de equipamentos sofisticados, são consideradas futilidade terapêutica.

Uma das ideias básicas da intervenção terapêutica é não aceitar que a dor e o sofrimento façam parte do processo de morrer. Os principais sintomas físicos presentes na terminalidade são: dor, fadiga, dispneia, náusea e vômitos, constipação, confusão mental, inquietação e anorexia. O profissional deve sempre acreditar no que o paciente diz e jamais questionar um sintoma. O sofrimento só é intolerável quando ninguém cuida (Pessini, 2001).

Sintomas psicológicos e preocupações espirituais também fazem parte desse momento. O psicólogo, dentro da equipe multidisciplinar, contribui sobremaneira para o apoio e o alívio emocional do paciente e de sua família.

Recordo-me de um cliente que iniciou tratamento psicoterápico e, após alguns meses, apresentou sintomas de esclerose lateral amiotrófica – doença provocada pela degeneração progressiva no primeiro neurônio motor superior no cérebro e no segundo neurônio motor inferior na medula espinhal, ocasionando a paralisação progressiva do corpo pelo enfraquecimento muscular.

Durante toda a vida ele se manteve lúcido e participativo. No início da doença, comunicou a seu filho cuidador o desejo de permanecer em casa, não no hospital. A princípio, o filho relatou esse pedido com muita tranquilidade e determinação. Depois de conversarmos calmamente, refletimos que naquele momento era possível para ele prometer isso ao pai, pois este se encontrava bem. Porém, no momento de aflição e sofrimento tal promessa ficaria muito difícil de ser cumprida. Naquela época, a família não conseguiu um médico que tivesse conhecimento e prática de cuidados paliativos. A equipe era constituída por mim, uma fisioterapeuta e uma fonoaudióloga. Mantínhamos entre nós um contato direto e harmonioso. Na véspera de sua morte, o paciente entrou em agonia devido à evolução da doença, com quadro elevado de dispneia. O fi-

Modalidades de intervenção clínica em Gestalt-terapia

lho estava presente e não suportou ver o pai daquele jeito: ligou para a equipe e informou a sua remoção para o hospital. O cliente foi mantido com oxigênio no quarto, ao lado de pessoas queridas, e lá faleceu no dia seguinte.

Atender uma pessoa acometida de doença incurável até a morte, bem como sua família, é uma experiência de grande significação. Ao contrário das mortes súbitas e inesperadas, o curso da doença crônica geralmente permite ao paciente e a seus familiares resgates e resolução de pendências. Foi o que ocorreu no caso relatado. A cumplicidade construída entre o paciente e seu filho ao longo da doença foi essencial para os cuidados ao fim da vida. No início, havia situações inacabadas que comprometiam o fluir da relação de cuidado. O acompanhamento psicológico contribuiu para que os ajustamentos criativos diante de cada exigência vivida pelos envolvidos no cuidar facilitassem ações transformadoras. "Papai teve uma morte digna", disse-me seu filho no enterro. Sua dignidade foi mantida por ele e por todos até o final.

Existe uma diferença entre se saber mortal e viver sabendo que o fim está próximo. As pessoas que recebem o diagnóstico de doença incurável e vivenciam a expectativa da morte aprendem sobre essa diferença. O medo do sofrimento na fase final é intenso e pode inclusive antecipar vários sintomas.

[...] O medo maior é de como será o processo de morrer, mais do que enfrentar a morte propriamente dita. O medo da dor, de morrer só, medo de sufocação, de ser enterrado vivo, da perda do controle, de perder a dignidade e de incomodar seus familiares. Todos esses receios podem e devem ser aliviados com atitudes e condutas corretas, baseadas em evidência. (Burlá, 2004, p. 387)

Essa modalidade de atendimento permite ao Gestalt--terapeuta acompanhar o idoso dando significado a esse processo terminal, intervindo em suas necessidades e possibilidades. É estar presente, inteiro, utilizando uma escuta atenta. É compreender como o processo da morte é experienciado por ele, por meio da construção de seus relacionamentos consigo mesmo e com o outro. É olhar para além de sua patologia. É enxergar a pessoa em suas particularidades. Segundo Burlá (2004, p. 393),

> [...] para acompanhar uma pessoa na fase final de vida o profissional precisa ter, acima de tudo, sensibilidade para perceber o momento singular que vive o paciente. [...] deve estar emocionalmente preparado para enfrentá-la [a morte]: para isso, deve ter muito bem internalizada a sua própria finitude.

Como diz Kübler-Ross (1996, p. 3), "aqueles que tiveram a força e o amor para ficar ao lado de um paciente moribundo com o silêncio que vai além das palavras saberão que tal momento não é assustador nem doloroso, mas um cessar em paz do funcionamento do corpo".

O TRABALHO COM APOSENTADOS E PENSIONISTAS

O projeto de trabalho com aposentados e pensionistas surgiu com a parceria das assistentes sociais da Associação de Mantenedores Beneficiários da Petros (Ambep-Petrobras) e da Associação dos Empregados e Empregados Aposentados dos Patrocinadores e/ou dos Participantes da Fapes/BNDES (APA--BNDES) cujo desejo era oferecer aos associados um espaço para encontros e reflexões.

Alguns aposentados desenvolvem sintomas depressivos em face das dificuldades de refazer seus projetos de vida de forma produtiva e socialmente útil. Com a autoestima diminuída, tendem a enxergar esse momento como fracasso pessoal. Porém, encontramos diferenças significativas entre gêneros. Ao homem cabem, no mundo ocidental, as atividades da esfera produtiva; às mulheres, a esfera reprodutiva. Ainda hoje algumas crenças permanecem – há trabalho de homens e trabalho de mulheres; o trabalho do homem vale mais do que o das mulheres; mesmo trabalhando fora, é natural que elas realizem sozinhas as tarefas domésticas –, e isso é constatado quando surge a aposentadoria. A mulher tem seu lugar garantido: ela é a dona da casa, o que contribui para seu sentimento de utilidade. Já os homens, sem supremacia no espaço doméstico, têm dificuldade de encontrar um lugar para si e sentem-se inúteis.

Executivos e profissionais liberais podem continuar trabalhando até quando desejarem ou for possível. Mantêm seu papel social até o fim, o que não acontece com os assalariados – que, para sobreviver, precisam de bicos para aumentar sua renda minguada.

Com o crescente interesse sobre o envelhecimento, vêm sendo criados inúmeros espaços para estimular a sociabilidade dos que não mais trabalham. As associações de aposentados e pensionistas são espaços ideológicos, políticos e sociais que visam garantir o usufruto de direitos de uma ampla faixa de idosos beneficiários. Elas fornecem uma gama de atividades de lazer, convivência e apoio aos associados – que durante seu tempo na ativa contribuíram mensalmente para obter tais benefícios. A atuação do profissional de psicologia nesse contexto, por meio de grupos com encontros quinzenais ou mensais, amplia essa assistência de suporte.

A programação consiste em palestras motivacionais com dinâmicas e cine-debate. Os temas abordados são previamente escolhidos pelos participantes. Além de transmitir conhecimento e levá-los à reflexão de forma criativa, as atividades permitem que todos participem de modo ativo, convidando-os a exercer seu direito de voz. Sempre há tempo para falar sobre política, teatro, filmes em cartaz, exposições. A troca de experiências e de afeto amplia a rede de amizade e solidariedade. O grupo é aberto a novos participantes.

Esse tipo de projeto ajuda os aposentados a resistir à despersonalização ocasionada pela diminuição do *status* social. As mudanças ocorrem na maneira de se vestir, de se comportar no grupo e na vida. Alguns iniciam uma psicoterapia nunca antes cogitada. Outros ampliam seus horizontes e abrem novos caminhos na vida.

INSTITUIÇÕES DE LONGA PERMANÊNCIA

Uma das maiores conquistas da humanidade foi a ampliação do tempo de vida, realidade que vem contribuindo para o aumento considerável do número de instituições de longa permanência, já que a família contemporânea também não se preparou para acolher seus idosos. A Sociedade Brasileira de Geriatria e Gerontologia (SBGG) sugere a denominação "Instituição de Longa Permanência para Idosos" (Ilpi) para entidades que visam ao atendimento integral institucionalizado em cuidados prestados a pessoas a partir de 60 anos, dependentes ou independentes, que não dispõem de condições para permanecer com familiares ou em seu domicílio.

Partindo de minha experiência de 24 anos como psicóloga em uma Ilpi, descreverei a contribuição da Gestalt-terapia no contexto institucional. É importante destacar que a referida instituição – União Associação Beneficente Israelita/Lar da Amizade – foi criada há 75 anos para acolher originalmente os imigrantes europeus e ajudá-los a encontrar trabalho e aprender o português. Logo se tornou também uma "casa" para abrigar os pais e avós imigrantes. Hoje comporta 60 residentes, sendo 11 do sexo masculino e 49 do sexo feminino – entre eles seis casais. A idade média é de 89 anos.

Desde o primeiro contato com a instituição, todas as informações a respeito do idoso e da dinâmica familiar devem ser registradas pelo psicólogo para melhor avaliação de seu perfil. Esses dados devem ser passados para a equipe multidisciplinar logo após a entrevista psicológica de admissão. Quem decide e como decide o ingresso? Todos os filhos estão de acordo? Quem se encontra mais mobilizado com a mudança? Quem escolhe o quarto? Existe a preocupação de trazer objetos e mobiliários do próprio idoso? Sobre isso, a instituição tem como filosofia enfatizar a importância de mobiliar o quarto com os pertences do residente, incluindo objetos que sejam capazes de resgatar antigos hábitos, experiências e recordações, tornando seu cotidiano atual mais familiar.

Logo, existem os que escolhem entrar por conta própria e aqueles que chegam por decisão dos filhos. Uma doença ou um acidente; a ausência de familiares; o desejo de ter uma vida sem obrigações; a morte do cônjuge ou de um companheiro; ter autonomia de escolher, antecipando sua ida para não atrapalhar a vida dos filhos; e conhecimento prévio da instituição (outro parente viveu lá) são os motivos mais frequentes que levam os idosos a procurar o Lar.

Quando parte dos filhos, a decisão é ocasionada por: declínio do funcionamento físico e mental do pai ou da mãe; dificuldade dos familiares de coordenar sua vida pessoal com a administração da casa dos pais; situações de maus-tratos ou abuso financeiro e medicamentoso por parte de empregadas domésticas ou cuidadores; morte do pai ou da mãe; estado de solidão em que se encontra o familiar idoso; e utilização anterior por outro membro da família.

> De fato, as famílias estão, cada vez mais, transferindo o cuidado de seus velhos para as instituições asilares, consequência da entrada da mulher no mercado de trabalho, das mudanças nos arranjos familiares e da ausência de políticas públicas de apoio material aos velhos e às suas famílias. (Peixoto, 2009, p. 410)

As reações são diversas. Alguns reagem passivamente, aceitando e entendendo a situação. Outros chegam ressentidos por ter de abandonar sua casa, o bairro onde moraram por muitos anos.

De acordo com Van Gennep (1978), a entrada em uma instituição asilar é um rito de passagem, pois o indivíduo se separa do mundo exterior e se desfaz de muitos dos seus bens pessoais (a começar pela própria morada) para entrar em outro cenário de vida, com novas regras e ritmos. Ele transfere sua vida privada para um espaço coletivo, compartilhado com pessoas que não escolheu e tampouco conhece.

O momento é delicado e estressante para toda a família. Sentimentos de culpa, de impotência, de abandono e dúvidas permeiam as relações. Os conflitos entre gerações podem aflorar. Em alguns casos, essa transição é realizada com tranquilidade, mas em outros o desgaste é maior. Trata-se de um período de mudanças para todos.

É importante que o profissional de psicologia acolha o familiar nessa fase de transição, mantendo-se atento e presente para elucidar dúvidas e oferecer orientações pertinentes à adaptação, às visitas livres e à participação efetiva de cada um no processo.

Para o idoso, o tempo de adaptação varia de três a seis meses. A forma como cada um reage desde o início delineará os recursos internos que ele utilizará em sua nova etapa de vida. Alguns se adaptam nas primeiras semanas, enquanto outros demoram mais. O heterossuporte oferecido nesse momento por profissionais e funcionários é decisivo.

A ansiedade da pessoa pela separação de sua casa e o medo daquilo que a espera podem intensificar quaisquer problemas físicos, psicológicos ou sociais já existentes. Brink (1983) confirma que a vida institucional apresenta tensões emocionais adicionais e deve ser considerada uma crise psicossocial que pode exacerbar antigas patologias ou gerar novas.

No início, o residente testa a instituição e a própria família. Até onde o "novo lar" cuidará de mim de fato e/ou até onde meus familiares continuarão se preocupando comigo? Nesse momento é essencial que a equipe, sobretudo o psicólogo, ampare o idoso e sua família legitimando sua dor, suas emoções e seus pedidos de ajuda. Ao longo da vida, cada vez que o ser humano depara com uma situação de perigo, lhe sobrevém o desamparo, demandando um pedido de ajuda (Py, 2004).

É sabido que os efeitos nocivos da velhice, em geral, e do residente de uma Ilpi, em particular, são a inatividade e a passividade, devido à perda da necessidade de prover a si e aos outros. Nesse caso, a inatividade não é só física como mental, manual, intelectual e emocional.

A fim de dissolver esse estereótipo social de inutilidade e passividade, os profissionais da instituição precisam ter uma visão existencialista e participativa: o idoso residente deve ser reconhecido como responsável por suas ações, possuidor de potencial criativo e capaz para fazer escolhas. Quanto mais oportunidades de autonomia e individualidade ele recebe, mais alerta e ativo permanece.

Consciente disso, minha atuação como Gestalt-terapeuta vai ao encontro das necessidades e das possibilidades de cada residente em sua singularidade e do grupo como um todo. Uma das principais etapas do trabalho consiste em estimular a participação de cada um na sugestão, no planejamento e na execução de novas atividades recreativas e na avaliação dos serviços oferecidos pelo Lar. Atuar no meio em que vive contribui para a independência do idoso.

As atividades recreativas, programadas a cada mês, funcionam como recurso terapêutico de motivação, reabilitação, socialização, orientação, memória, cognição. Oficina da memória, aula de computação, palestras, bingo, jogos diversos, oficina musical, trabalhos manuais, passeios e idas ao teatro são algumas atividades apreciadas por eles. A interação grupal espontânea e potencialmente útil é alcançada em vários momentos.

Recentemente, durante uma atividade de canto na oficina da memória – "Quem canta seus males espanta" –, revelou-se o potencial de três residentes que cantavam de forma harmoniosa. Formou-se então o "Trio de Ouro". Uma residente que não tocava piano havia anos voltou a treinar todos os dias. Outra, ex-coordenadora pedagógica, passou a contribuir com declamações. Um paciente em cadeira de rodas e com quadro demencial cantou, lembrando-se do tempo em que era tenor de um coral. Aproveitando esse potencial humano e artístico, convidei-os a se apresentar durante um evento com o comitê feminino da instituição. A apresentação foi um sucesso, e a partir desse dia vêm aumentando os interessados em usar o microfone.

Outro recurso utilizado é orientar os idosos mais alertas, capacitados fisicamente e disponíveis emocionalmente a atuar como apoio a residentes mais fragilizados ou a se responsabilizar por certas tarefas dentro da instituição. Com isso eles adquirem um sentimento de importância, de *status* no Lar, de pertencimento e de autonomia.

Um fator de bem-estar é o bom relacionamento do idoso com outros residentes e com os funcionários da instituição. A construção de um núcleo de afinidade forma uma rede de apoio e cumplicidade. O idoso passa a ter mais companhia e atenção. Cria-se um sentimento de família, principalmente para aqueles que são sozinhos.

O psicólogo é um profissional comprometido com a prevenção de problemas, a promoção da saúde, o conforto emocional e a reabilitação do idoso. O acompanhamento terapêutico é contínuo. O apoio psicológico é oferecido a todos os que assim desejarem e àqueles que necessitam de uma escuta diferenciada.

Um dos fatores verdadeiramente essenciais a qualquer abordagem psicológica é a possibilidade de criar meios de atender às necessidades do residente por meio do entrosamento com a equipe multidisciplinar e os funcionários. Idealmente, todos os funcionários deveriam atuar como uma extensão do psicólogo.

Ainda vivemos com a ideia de que o idoso deva permanecer em sua casa até o final de seus dias. Porém, isso fica cada vez mais difícil devido à vida atribulada dos familiares, à insegurança pessoal e à falta de profissionais qualificados que trabalhem na residência do idoso. O ingresso numa Ilpi tem se tornado uma realidade, e atesto que há melhora significativa na qualidade de vida da maioria das pessoas que acompanho. É necessário que a família e o idoso busquem cuidadosamente um local que promova, sobretudo, a saúde, a independência e a autonomia dos residentes.

ATENDIMENTO FAMILIAR

A família mudou e os idosos também. Segundo Silveira (2007), para a maioria das pessoas mais velhas, a família é de suma importância. Criadas em outra época, elas ainda vivem primeiro para os familiares e só depois para si mesmas. Porém, continua a autora, a recíproca nem sempre é verdadeira. As muitas opções de atividades, a busca do prazer, o individualismo exacerbado, os preconceitos, a pressa, tudo isso perpassa o relacionamento entre a família e o idoso nesse universo plural que chamamos de contemporaneidade.

Hoje, é comum encontrarmos várias famílias chefiadas por idosos. Além de cuidar dos netos e ajudar os filhos nas

Modalidades de intervenção clínica em Gestalt-terapia

tarefas cotidianas, eles os auxiliam financeiramente (mensalidades escolares, viagens, mesadas etc.).

Enquanto saudáveis, esses indivíduos têm a função definida de pais, avós e bisavós presentes e úteis. Porém, quando adoecem e necessitam de cuidados, o equilíbrio familiar é ameaçado. Para Araújo (2001), a complexidade do quadro familiar e as dificuldades inerentes às relações humanas são fatores básicos que facilitam e até promovem o colapso diante do aparecimento de qualquer alteração de comportamento em um de seus membros.

Diversos estudos sobre suporte social e relações intergeracionais na família mostram que, de modo geral, os cuidados aos mais velhos são prestados por uma rede informal de apoio: a família – cônjuge, filhos, parentes – e, na falta desta, amigos e vizinhos. Porém, o fato de morarem juntos não garante relações amistosas entre os idosos e seus filhos.

Ao atender o idoso, costumo oferecer meus cuidados à família. Nos casos de maior dependência ou necessidade, esse atendimento passa a ser mensal. Cuidar é um ato que requer interesse, atenção, tempo e disponibilidade interna e externa, além de recursos financeiros. Enquanto algumas famílias conseguem administrar esse cuidado sem muito estresse nem conflitos, outras passam por um processo doloroso. Há casos de filhos que se veem obrigados a cuidar do pai que os abandonou anos atrás ou dos que nunca tiveram uma relação sadia com a mãe. Araújo (ibidem, p. 104) afirma que,

> diante de um quadro de total dependência daquela pessoa que foi, durante tanto tempo, nosso referencial, nosso ídolo, nosso mito, ou até nosso algoz, naturalmente necessitaremos de um

ajuste interior de grandes proporções para suportarmos viver com a emergência da perda e do luto.

À medida que o grau de dependência aumenta, ocorre uma mudança de comportamento entre os filhos e os pais, que alguns chamam de inversão de papéis. Porém, é importante que não se percam a noção e o sentimento de hierarquia natural determinada pela própria vida. O cuidado nunca será o mesmo. Cuidar de um filho é responsabilidade e dever. Cuidar dos pais é reconhecimento, gratidão.

A tarefa de cuidar é árdua e demanda grande responsabilidade. Em geral, um único membro da família se torna responsável pelo idoso. A maioria dos cuidadores familiares é composta por mulheres, normalmente esposas e filhas. Quase sempre, os motivos que levam o familiar a ser o cuidador principal são os seguintes: disponibilidade de tempo, sentimento de obrigação e dever, e solidariedade. Em alguns casos, o cuidado é imposto pelas circunstâncias e não por escolha própria.

Costumo realizar encontros entre cuidadores, denominados "Quem cuida precisa ser cuidado", com o intuito de oferecer um espaço de escuta e trocas e proporcionar informações e apoio emocional. Muitas vezes, o cuidador familiar não consegue visualizar uma saída. Ele acredita que sua dor é única. Um dos pontos cruciais é mostrar como é possível e necessário ampliar sua rede de apoio: pedir ao irmão para pagar uma conta no banco, convidar a filha para acompanhar o avô ao médico, pedir que a família contribua com algum valor (sem estipular a quantia), convidar parentes para um lanche em casa a fim de visitar o idoso e conhecer sua situação real.

CONSIDERAÇÕES FINAIS

Até recentemente, as poucas abordagens psicológicas voltadas aos idosos funcionavam apenas como suporte para aumentar a adesão ao tratamento médico e reduzir os sintomas. Hoje, porém, a psicoterapia na velhice tem atraído o interesse dos profissionais e dos mais velhos que buscam uma vida mais plena.

O profissional de psicologia que queira trabalhar com idosos deve estar familiarizado com o estudo da gerontologia e seu vasto campo multidisciplinar. Esses conhecimentos servirão como instrumentos transformadores de ajuda e informação tanto para os clientes idosos como para sua família.

A contribuição da Gestalt-terapia no atendimento a idosos se mostra deveras eficaz e importante. Por ser uma abordagem existencial, confere ao ser humano um potencial criativo que o capacita a lidar com as perdas inerentes à idade. Oportuniza, ainda, o processo de revisão de vida, presentificando o passado e trazendo à consciência as situações inacabadas que dificultam seu viver. Isso permite ao indivíduo conquistar o autoconhecimento com responsabilidade e possibilidades.

Os resultados obtidos nas inúmeras modalidades de atendimento a idosos são promissores. Há várias razões para isso, sendo a mais importante a de que uma longa vida constitui valiosa experiência para a superação eficaz. Há muito que fazer sempre. Minha longa experiência com idosos faz-me acreditar que qualquer trabalho que envolva o serviço ao próximo necessita de uma essência profunda e fundamental, o que chamo de "alma" – aquilo que sustenta qualquer trabalho também nos sustentará e nos abençoará com sua força.

Lilian Meyer Frazão e Karina Okajima Fukumitsu (orgs.)

REFERÊNCIAS

ARAÚJO, P. B. *Alzheimer: o idoso, a família e as relações humanas.* Rio de Janeiro: Edição do Autor, 2001.

BOFF, L. *Saber cuidar: ética do humano – Compaixão pela terra.* Petrópolis: Vozes, 1999.

BOSI, E. *Memória e sociedade: lembranças de velhos.* São Paulo: Companhia das Letras, 1994.

BRINK, T. L. *Psicoterapia geriátrica.* Rio de Janeiro: Imago, 1983.

BURLÁ, C. "Envelhecimento e cuidados ao fim da vida". In: PY, L. *et al. Tempo de envelhecer: percursos e dimensões psicossociais.* Rio de Janeiro: Nau, 2004.

DOYLE, D.; HANKS, G.; MACDONALD, N. *Textbook of palliative medicine.* 2. ed. Oxford: Oxford University Press, 1998.

GONÇALVES, L. H. T.; ALVAREZ, A. M. "O cuidado na enfermagem gerontogeriátrica: conceito e prática". In: FREITAS, E. *et al. Tratado de geriatria e gerontologia.* Rio de Janeiro: Guanabara Koogan, 2002

GUERREIRO, T.; CALDAS, C. P. *Memória e demência: (re)conhecimento e cuidado.* Rio de Janeiro: Ed. da Uerj/Unati, 2001.

HOLDEN, U.; WOODS, R. *Positive approaches to dementia care.* Edimburgo: Churchill Livingstone, 1995.

KÜBLER-ROSS, E. *Sobre a morte e o morrer: o que os doentes têm para ensinar a médicos, enfermeiras, religiosos e aos seus próprios parentes.* São Paulo: Martins Fontes, 1996.

MARTIN, L. J. *Handbook for old age counselors.* São Francisco: Geertz, 1944.

MARTIN, L. J.; DEGRUCHY, C. *Salvaging old age.* Nova York: MacMillan, 1930.

_____. *Sweeping te cobwebs.* Nova York: Macmillan Company, 1933.

NEGREIROS, T. C. G. M. "Gênero e geração: reflexões sobre o contemporâneo processo de envelhecer". *Psicologia Clínica,* v. 11, 1999, p. 107-16.

NERI, A. L. "Qualidade de vida no adulto maduro: interpretações teóricas e evidências de pesquisa". In: NERI, A. L. (org.). *Qualidade de vida e idade madura.* Campinas: Papirus, 1993, p. 9-47.

NOVAES, M. H. *Psicologia da terceira idade: conquistas possíveis e rupturas necessárias.* Paulo de Frontin: Grypho, 1995.

PEIXOTO, C. "Relações intergeracionais: da solidariedade aos maus-tratos". *Interseções – Revista de Estudos Interdisciplinares,* v. 11, n. 2, 2009, p. 407-21.

PERLS, F. *Gestalt-terapia explicada.* São Paulo: Summus, 1977.

PERLS, L. "Abordagem de um Gestalt-terapeuta". In: FAGAN, J. *et. al. Gestalt-terapia – Teoria, técnicas e aplicações.* Rio de Janeiro: Zahar, 1970.

PESSINI, L. *Distanásia: até quando prolongar a vida?* São Paulo: Loyola, 2001.

PY, L. "Envelhecimento e subjetividade". In: PY, L. *et al. Tempo de envelhecer: percursos e dimensões psicossociais.* Rio de Janeiro: Nau, 2004.

RINPOCHE, S. *O livro tibetano do viver e morrer.* São Paulo: Talento/Palas Athena, 1999.

Silveira, T. M. "Tradição e transição: dimensões do aqui-agora no jovem e no idoso". *Revista do X Encontro de Abordagem Gestáltica*, Goiânia. v.10, 2004, p. 59-68.

_____. *Por que eu? A doença e a escolha do cuidador familiar*. Rio de Janeiro: Arquimedes, 2007.

United Nations (UN). *World population ageing*. Nova York: UN, 1999. E.99. XIII.11.

Van Gennep, A. *Os ritos de passagem*. Petrópolis: Vozes, 1978.

World Health Organization (WHO). "Non-communicable disease prevention and health promotion: ageing in life course". Second United Nations World Assembly on Ageing, Madri, 2002.

_____. "'Ageing well' must be a global priority". 2014. Disponível em: <http://www.who.int/mediacentre/news/releases/2014/lancet-ageing-series/en/>. Acesso em: 17 dez. 2015.

6
Terapia de casal e de família: uma visão de campo

TERESINHA MELLO DA SILVEIRA

As dificuldades nos relacionamentos íntimos sempre existiram. Não é diferente na atualidade, que conta com os mais diversos modelos de casal e de família. A contemporaneidade, caracterizada pelas rápidas mudanças, pela instabilidade nos relacionamentos, pela multiplicidade de opções, pelas desconstruções e reconstruções constantes, deixa suas marcas também no âmbito familiar. Além do mais, na era da comunicação, os conflitos familiares são postos em evidência, tornando mais visíveis os acontecimentos que antes eram vividos e resolvidos – ou não – entre quatro paredes.

Assim, a psicologia clínica cada vez mais se abre para fazer face às questões que permeiam casais e familiares, contribuindo para ajustamentos criativos saudáveis diante da realidade trazida aos consultórios de psicoterapeutas.

Na verdade, desde meados do século passado, em diferentes partes do mundo, médicos e psicólogos começaram a incluir os familiares nos trabalhos que até então se restringiam à díade terapeuta-cliente.

Sempre achei curioso que os primeiros livros estrangeiros de Gestalt-terapia já mencionasse o trabalho terapêutico com grupos diversos, casais e famílias; contudo, até algum tempo atrás, no Brasil, os atendimentos eram na maioria das vezes individuais.

Hoje, percebo o resgate de um viés mais social da abordagem: os membros da comunidade se voltam para estudar, compreender e praticar as atividades nos diferentes grupos da sociedade.

O mundo atual é um mundo de redes, o que acontece com uma pessoa reflete em toda uma rede. Assim é também na rede conjugal e familiar. Nada mais natural do que, neste contexto, florescer o trabalho com casais e família. (Silveira, 2005, p. 4)

Sendo uma abordagem relacional, a Gestalt-terapia leva em conta o homem em interação com o meio, agindo, modificando e modificando-se, influenciando e assimilando de maneira singular o que esse meio tem para oferecer. Posto dessa maneira, permito-me apresentar a minha forma de praticar Gestalt-terapia com grupos íntimos.

Como é do conhecimento de todos, a abordagem gestáltica é um sistema integrado, não havendo como separar teoria, metodologia e prática. Para fins deste artigo, no entanto, buscarei definir conceitos que estarão no fundo, ou seja, contextualizando o fazer gestáltico. Entre eles, destaco: figura e fundo, campo organismo/meio, totalidade, contato, fronteiras de contato, *awareness*, ajustamento criativo, situação inacabada e polaridades – os quais oferecem os recursos necessários para sustentar o trabalho terapêutico com casais e famílias. Ademais, a utilização do método fenomenológico, que aponta para a importância da experiência presente, facilita que a família ou o casal experimente no *setting* terapêutico suas possibilidades e seus entraves. Por fim, e mais importante, a relação estabelecida entre o terapeuta e as pessoas que vêm à consulta é algo que precisa ser considerado no trabalho.

Cada Gestalt-terapeuta, embora comungue dos mesmos princípios, crenças e valores da abordagem, desenvolve o trabalho com casais e famílias segundo um estilo próprio. De minha parte, a perspectiva de campo da Gestalt-terapia encanta-me e me deixa mais confortável para contemplar e explorar os meandros percorridos por aqueles parceiros ou familiares que me procuram para trilhar com eles uma etapa da vida.

Como ensina Robine (2006, p. 170), "é certo que a teoria do campo e suas implicações não foram objeto de muito aprofundamento, nem por parte dos Gestalt-terapeutas, nem dos pesquisadores em ciências humanas desde Kurt Lewin". O próprio Perls (1977, p. 99) afirma: "Minha ambição tem sido criar uma teoria de campo unificado na psicologia". Assim, não podemos afirmar que Perls se apoiou em Kurt Lewin e em sua teoria de campo (Elídio, 2012).

Diversos autores ajudam-nos a compreender a complexidade das pessoas em suas relações inter e intragrupais. Yontef (1998, p. 175) afirma:

> Uma análise de campo observaria o contexto total do trabalho, em especial as relações interpessoais. Uma análise de campo traria a família, os grupos e outros processos sociais para o primeiro plano, moderando o individualismo.

Concordo com Yontef quanto a esse aspecto, pois nosso olhar incide sobre o funcionamento do par ou da família, e não sobre cada participante individualmente. Para o autor (1998, p. 177), "O campo indivíduo/ambiente se cria com a parte individual influenciando o resto do campo, e o resto do campo influenciando o indivíduo". E mais: "Uma perspectiva de teoria de campo pode fornecer suporte teórico para a integração de uma teoria que abrange o corpo, a mente, as emoções, as interações sociais e os aspectos espirituais e transpessoais" (idem).

Diante das colocações de Yontef, afirmo que as teorias de campo são a base para a Gestalt-terapia de casal e de família. As noções de totalidade e de interdependência propagadas por tais teorias, sobretudo pelas mais atuais, permitem uma prática bem sustentada. Ao atender famílias ou casais, embora seja tentador colocar o foco no sintoma, na queixa, sem descartar esses aspectos apreciamos o todo em movimento.

Cada casal ou família chega com seus gestos, posturas, particularidades; escolhe onde se sentar; fala ou silencia; expressa concordância ou discordância em relação aos outros membros, comunicando com sua maneira de chegar muito do que está acontecendo.

Cabe ao terapeuta, enquanto os acolhe, observar o movimento, perceber o todo, embora seja comum o apelo do grupo para olhar apenas o motivo da consulta. Como eles interagem? O que sinto diante da forma como eles se relacionam? Que cor, que cheiro tem essa família, esse casal? Que imagem faço deles? Como eles se atraem e se repelem por meio do que dizem?

Certa vez, ao receber um dos casais que atendia, a mulher levantou a saia acima do joelho e mostrou a perna com uma enorme mancha roxa. Naquele momento, passaram por minha cabeça os mais variados pensamentos acusatórios contra um e contra o outro, mas tentei ler com o coração o que ela estava me comunicando pela expressão facial e disse-lhes intuitivamente algo que nem mesmo eu esperava: "Esta é a nossa última tentativa". A frase abriu espaço para que eles falassem e demonstrassem durante todo o atendimento como se relacionavam.

Fazendo uma correlação com a visão de campo, Robine (2006, p. 171) auxilia-nos a compreender esse momento quando afirma:

> Tomado de empréstimo às ciências naturais do século XIX pela psicologia da Gestalt, o conceito de campo traz para as ciências humanas um dos seus paradigmas fundamentais. Ele torna possível estabelecer a reciprocidade de posições e de modalidades operatórias entre o todo e as partes por transposição e analogia com os fenômenos descritos a respeito do campo magnético.

Considero o campo fruto da interação das partes de um todo. Segundo Lewin, o comportamento é derivado da totalidade dos fatos coexistentes, que apresentam um campo dinâmico de forças, nos quais fatos ou acontecimentos inter-relacionam-se com os demais, influenciando-os e sendo por eles influenciados (Ribeiro, 1985).

Voltando à chegada dos nossos clientes, trata-se de um momento particularmente delicado. Sempre corremos o risco de ficar presos à fala de um ou de outro e talvez tomar partido. Haveremos de ser muito cuidadosos, já que as falas nos seduzem. O perigo é ficarmos presos num som estridente e perdermos a melodia como um todo. A esse respeito, Zinker (2001, p. 81-82) propõe que usemos metáforas. Essa é uma ideia maravilhosa! A metáfora é uma Gestalt: o todo é diferente da soma das partes:

> Pelo fato de estarmos lidando com fenômenos complexos e multideterminados, vendo configurações totais em vez de partes separadas, a linguagem reducionista não nos ajuda, e assim precisamos pensar em termos de metáforas, analogias e outras imagens.

Para compreender melhor esse todo, relembremos as muitas contribuições de Goldstein (2000), o qual explica que o organismo funciona como um todo escolhendo o que mais satisfaz sua necessidade a cada momento. Pensando na satisfação da necessidade, interrogo-me: que necessidade seria essa? O que levou aquele casal a se apresentar desta ou daquela maneira? O que buscam um no outro? O que esperam de mim?

Perls (2002) emprega os termos "totalidade" e "holismo" indistintamente, influenciado não só pelos autores da psicologia da Gestalt como pelos estudos de Jan Smuts. Ao se referir ao holismo de Smuts, Lima (2012, p. 143) explica: "O holismo seria uma tendência sintética do universo em evoluir pela formação de todos (*wholes*)". Assim também o universo dos relacionamentos íntimos tende a formar um todo em que as partes interagem umas com as outras. De fato, se olharmos a totalidade de um grupo íntimo, verificaremos que esta forma um campo com funcionamento e propriedades singulares, sempre em movimento. Se alguém sai ou entra, a configuração muda por completo.

Partindo de uma visão de campo, é maravilhoso ver a família ou os casais se movimentarem. Não existe um e outro ou outros, existe um todo em relação. A palavra de um é o silêncio ou o grito do outro, que desperta um terceiro para agir – e assim eu, como terapeuta, assisto ao enredo de um filme que se desenrola à minha frente.

Para compreender esse fenômeno, Zinker (2001) vale-se da teoria geral dos sistemas de Von Bertalanffy. Baseado em uma visão de campo, num sistema, cada parte interage com as outras de tal maneira que não existe uma relação de causalidade linear, pois as influências são sempre mútuas. Assim, não é possível ver um sintoma como algo pertencente a um membro da família ou do casal, e sim como expressão da interação desses membros. Logo, o processo é descrito por meio das interações, da comunicação e da maneira como a família se organiza. A título de exemplo, imaginem uma família de três pessoas em terapia: uma criança e seus pais e a queixa bem corriqueira e atual: M., de 5 anos, é hiperativo.

Um olhar mais individualizado faria que indagássemos como é a hiperatividade, quando surgiu, o que estava acontecendo então etc., colocando o foco na criança. Secundariamente, veríamos como os pais a educam, como a escola lida com M., se ele age assim em todos os lugares e assim por diante. Com base nas teorias de campo fenomenológicas propostas por vários autores – como Perls, Hefferline e Goodman (1997), Yontef (1998) e Zinker (2001) –, olharíamos para a construção e a desconstrução de figuras, ali e naquele momento. Poderíamos observar a desatenção da mãe, a superproteção do pai, o distanciamento entre os membros do casal, as expressões de apelo do menino, tudo ao mesmo tempo, compreendendo que essa é a maneira de a família se ajustar criativamente.

Poderia essa família descobrir outros ajustamentos que tirassem M. do lugar de "paciente identificado" e lhe permitissem um estar no mundo mais satisfatório? Isso é o que pretendo como terapeuta de casal e de família. Parto, assim, da concepção do que seja casal e do que seja família.

Ao falar em casal, refiro-me a qualquer dupla ou parceiro íntimo que pretendam uma vida em comum. Alguns dicionários definem casal como qualquer par de indivíduos que mantêm, entre si, uma relação amorosa e/ou sexual. Ampliando essa definição, chamo de família qualquer par com vida em comum que tenha laços sentimentais, mesmo sem relacionamento sexual. Zinker e Zinker (2000, p. 7) assim explicam o conceito:

> Duas pessoas têm algo que as aproxima, ou então alguma coisa as aproxima e elas se *"descobrem"*. Podem ficar amigas; compartilhar suas vidas, vivências, sentimentos, dores. Encontram-se na esperança de enriquecer suas vidas, preencher suas mentes e seus corações. No sentido mais amplo, elas formam um *"casal"* [...] Dizemos que são "íntimas" – há um campo de energia unindo as duas em interesse, curiosidade e compromisso contínuos, mesmo quando não estão fisicamente juntas.

Para definir família recorro a Castilho (2003), que afirma tratar-se de

> um sistema complexo de relações, onde seus membros compartilham um mesmo contexto social de pertencimento. A família é o lugar do reconhecimento da diferença, do aprendizado de unir-se e separar-se, a sede das primeiras trocas afetivo-emocionais, da construção da identidade [...]. É um sistema em constante transformação, por fatores internos à sua história e ciclo de vida em interação

com as mudanças sociais. Sua história percorre a dialética continuidade/mudança, entre vínculos de pertencimento e necessidade de individuação. É no cenário familiar que aprendemos a nos definir como diferentes e enfrentar os conflitos de crescimento.

As experiências em família marcam a vida de cada um de seus membros. No âmbito familiar têm expressão as mais diferentes emoções, como amor, ódio, tristeza, desespero, alegria. Regular essas emoções e ser continente delas nos novos modelos de família é tarefa árdua.

Hoje, identificamos uma multiplicidade de modelos familiares: monoparentais, com pai, mãe e filhos; homoparentais; famílias-mosaico (grupo de parentes e "meio parentes" em virtude de recasamentos); família com papéis trocados; e muitas outras composições que cada vez mais recorrem ao atendimento psicoterapêutico.

Brigas, conflitos não resolvidos, insatisfações amorosas ou sexuais, violência, doenças, vícios, rotina, distanciamento, mudanças no ciclo de vida (nascimento de um filho, morte de um parente, aposentadoria etc.), dificuldades econômicas, infidelidade conjugal, entre outras questões, conduzem os parceiros ou o grupo familiar à terapia, buscando muito comumente um "remédio" para seus sintomas, dores e doenças. Também anseiam por um diagnóstico claro na expectativa de uma "cura" para seus males.

Sabemos que a Gestalt-terapia não trabalha com um diagnóstico fechado, mas com uma compreensão diagnóstica que se dá no decorrer do processo. Assim, quando falo em diagnóstico, refiro-me à forma como a família ou o casal chega e funciona no campo que foi construído por eles.

Nas primeiras entrevistas, preciso de um tempo para conhecer o casal. Que campo é esse? Que *Gestalten* se fazem e se desfazem a todo momento? Como eles interagem? Como chegam? Onde sentam? Como interagem comigo? Onde o contato flui entre eles e onde se mostra impedido? Assim, empenho-me em observar as formas que, segundo Laura Perls (1994) e Zinker (2001), falam da estética da relação. Relações sadias têm boa forma, logo são esteticamente bonitas. Além disso, olhar o como da experiência presente me permite trabalhar na fronteira de contato, isto é, com o que está sendo experienciado ali e pode conduzir à mudança.

Ainda que priorize a forma, não descarto o conteúdo, o "quê", a historicidade – que me ajudam a entender "para quê". A esse respeito, ao contarem sua história, os sentimentos brotam, tornando possíveis resgates, reconstruções e retificações. Contar a história favorece também constatar as situações inacabadas que deixaram os parceiros aprisionados no "lá e então". Sobre isso, concordo com Frazão (1992, p. 43):

Passei a dar mais atenção à história do cliente e a tentar compreender como o presente poderia estar a serviço de evitar aquilo que ocorrera no passado. Isto significa que os próprios sintomas dos quais o cliente se queixa deveriam se inserir neste contexto. Meu entendimento de sintoma é que, quando um afeto ou necessidade não pode se realizar, a Gestalt fica incompleta, causando sofrimento e angústia. Com vistas a tornar estes sentimentos suportáveis, a configuração original se deforma em busca de fechamento. Cria-se assim uma nova forma, que na realidade é uma deformação. Penso neste processo como um ajustamento criativo que, ao visar de imediato um alívio, a longo prazo, por ser insatisfatório, causa sofrimento.

Vale lembrar que, embora comumente as pessoas de um grupo venham com queixas e reclamações umas das outras, elas também são muito vulneráveis a nossos julgamentos e críticas.

Não cabe ao terapeuta julgar. A esse respeito, Zinker (2001) explica que as famílias estão sempre fazendo o melhor que podem. Ele destaca a importância de, ao atender o grupo familiar, primeiro observar o que eles fazem bem, em que eles são competentes, em que áreas funcionam saudavelmente. O autor defende que eles não sabem que tarefas relacionais fazem bem, necessitando o terapeuta sinalizar-lhes isso. Com seu jeito ao mesmo tempo artístico e pedagógico, ele afirma que devemos "celebrar o bom funcionamento" (ibidem, p. 226) da família. Por exemplo, quando em uma família ou casal alguém fala muito alto, o terapeuta intervém apreciando seu esforço para comunicar algo.

A posição de Zinker remete a um dos princípios da teoria de campo proposto por Parlett (1999): o da possível relação pertinente. Para Parlett, nenhuma parte do campo deve ser excluída nem sobrevalorizada. Esse é outro aspecto que me ajuda a não julgar nem tomar partido. Procuro conhecê-los estando atenta, instigada e aberta para o que está acontecendo no aqui e agora do *setting* terapêutico, apreciando as formas. É prazeroso ver o par ou os diversos membros da família buscando satisfazer suas necessidades – embora, às vezes, por caminhos tortuosos que impedem, dificultam e fazem sofrer, mas são sempre buscas; do contrário, não estariam ali.

Minha acolhida ao par ou para o grupo parental, dentro do possível, é total. Observo-os como um presente que me chegou às mãos, mas nem imagino qual seja. Deixo brotar na sala de atendimento todas as formas possíveis, atendo-me prioritariamente a como eles expressam sua maneira de funcionar e de se comunicar, bem no jeito gestáltico de ser. Quanta coisa acontece num simples segundo. Os olhares, a voz, a postura, a maneira de comunicar, a energia que circula. É nesse momento que, inspirada em Zinker (2001), algo me move e me (co)move e eu crio uma metáfora. Por exemplo, *Enquanto vocês conversavam, eu ouvia algo como se o mar estivesse batendo, nem muito forte nem muito suave. Faz algum sentido para vocês?* Ou ainda: *Não sei por que me lembrei do filme* Recordações. Mais um exemplo: *Senti como se estivesse me sufocando.*

Falam comigo, falam entre eles, faço perguntas curiosas e vou me dando conta de como se movem e o que os impede de ir adiante nesse primeiro momento. Se me sinto confortável para acompanhá-los, formalizo um contrato.

Com casais e famílias o contrato é, além de tudo, um momento de aprendizagem. Explico: por incrível que pareça, cônjuges e familiares não se sentem à vontade para fazer acordos. Vejo, ao fazer o contrato, as relações de poder e submissão; o significado do dinheiro naquela família ou naquele par; como o grupo lida com regras, hierarquias e prioridades; como usam seus recursos pessoais para negociar. Tudo isso me permite compreender o funcionamento deles como um todo.

Certa vez, atendendo uma família, quando mencionei o preço da sessão, todos olharam para o pai, que não me disse nada, mas se voltou para a família dizendo: "Se é para vocês ficarem bem, eu deixo". Assim ele mostrava comandar a família, ao mesmo tempo que se excluía da queixa. Eram os outros que precisavam, e não ele – que estava ali apenas para autorizar. Pensando no campo familiar, o comportamento do pai era permitido pelos outros membros, que ao olharem para ele pediram-lhe autorização.

Sobre o diagnóstico e o processo terapêutico, tenho alguns norteadores: o diagnóstico processual desenvolvido por Frazão (1991), as possibilidades e impossibilidades na fronteira de contato e o ciclo interativo apresentado por Zinker (2001).

Fatos da vida em comum, ou mesmo aqueles trazidos das histórias das famílias de origem, conduzem à construção de uma nova história, com questões mal resolvidas ou não. As questões mal resolvidas abarcam segredos, não ditos, legados impossíveis de ser cumpridos, transmissões geracionais, além de ofensas e mal-entendidos que deixam marcas na atualidade pela repetição de padrões interativos, distorções e omissões, como nos ensina Frazão (ibidem).

Percebo na conversa entre os participantes os sinais de confusão entre outras experiências vividas e o momento atual. *Eu já cansei de ouvir isso na minha vida! Você está falando igual a meu pai! Eu faço tudo por ele, sou quase mãe dele. O seu discurso lembra o da minha irmã. Eu achava que você estava me censurando...* É quando me dou conta de como esses fatos estão impedindo que o casal ou as famílias vivam mais plenamente. Ao tomarem consciência de onde estão, podem seguir rumo ao contato com outros modos de interagir.

Pensando no diagnóstico em Gestalt-terapia, baseio-me nas palavras de Zinker (ibidem) sobre a busca da "boa forma" e em Delacroix (2009), quando se refere à construção do que chama de "terceira história". Assim, o campo conjugal e familiar se transforma de acordo com a bagagem de histórias individuais anteriores. O espaço conjugal e familiar oferece portanto um terreno fértil para reproduções, repetições, dis-

Modalidades de intervenção clínica em Gestalt-terapia

torções, tornando-se ainda mais complexo quando as dificuldades de um se "engancham" nas dificuldades do outro.

A título de ilustração, descreverei o atendimento de um casal homoafetivo que desempenhava papéis complementares de cuidador e de pessoa cuidada. Era muito curioso: logo que eles entravam, aquele que desempenhava o papel de cuidador sempre me perguntava, com ar bonachão, se estava tudo bem. Em seguida, me perscrutava para ver se meu corpo expressava alguma doença, e novamente perguntava se estava tudo bem. Seu olhar curioso era tão forte que por vezes me indaguei se estava bem mesmo, ou o que ele via em mim que indicava algo errado. No decorrer dos atendimentos, entendi melhor o que se passava com ele.

A queixa que traziam era de insatisfação no relacionamento. Quando indagados sobre o problema, alegaram que tudo estava "morno", muito rotineiro, que estavam ambos desanimados. Olhando para os dois, um me parecia cansado e o outro, sem cor. "Sem cor" era a metáfora perfeita para aquele relacionamento. De início, pareceram dispostos a mudar esse estado de coisas e caminharam no sentido da mudança, descobrindo formas mais criativas de relação. Contudo, a insatisfação permanecia. E mais: a demanda de atenção e dedicação do que recebia cuidados aumentava enquanto o outro se esforçava cada vez mais para satisfazê-lo. Percebi em mim um incômodo, não só com as cobranças como com o empenho do outro para atender às necessidades do solicitante. Parecia tratar-se de uma criança reclamona e de um pai culpado. Propus então ao que cobrava mais fazê-lo como uma criancinha pidona e ao outro agir como um pai que se sentia culpado por não conseguir dar ao filho aquilo que ele pedia. Logo o primeiro disse: "Mas eu nunca tive um pai! Meu pai era uma figura apagada enquanto viveu com minha mãe e depois foi embora e nunca mais nos procurou!" Entendido estava que o outro jamais poderia dar aquilo de que o primeiro precisava. O trabalho com o casal só evoluiu depois que trabalhei com o primeiro o abandono do pai. Contudo, um detalhe foi muito significativo. Ao término das intervenções referentes ao primeiro, o segundo começou a chorar e a dizer que estava cansado de tanto cuidar – cuidar do pai que já havia morrido, de um irmão que tinha uma doença crônica, da mãe que estava demenciada, do companheiro... E este era o outro lado da história: o campo conjugal fazia um encaixe quase perfeito. Um escolheu o outro e vice-versa. Eles puderam ampliar a *awareness* disso e seguir adiante rumo a novas formas de se ajustar criativamente. Compreendi também por que ele sempre me perguntava se eu estava bem, quase duvidando disso.

O processo terapêutico é o movimento necessário para que as pessoas aprendam a avaliar suas possibilidades de expansão, de crescimento, de evitações e retrações no ato do encontro. O trabalho gira em torno de quanto a dupla ou os parentes estão conscientes (*aware*) do processo. Diz Yontef (1998, p. 215): "A *awareness* é uma forma de experienciar; é o processo de estar em contato vigilante com o evento mais importante do campo indivíduo/ambiente, com total apoio sensório, motor, emocional, cognitivo e energético".

Em geral, os grupos íntimos não estão *aware* de seu processo. No entanto, em terapia, sem um bom nível de conscientização não ocorrem mudanças. Cabe ao terapeuta criar situações que o propiciem.

Defendo que para uma boa conscientização é preciso que o aparelho sensorial e motor esteja funcionando bem. Assim, minha preocupação inicial refere-se a quanto e como os membros do casal ou da família podem se perceber e se estão usando bem suas funções de contato.

Polster (1977, p. 105) pontua que as sensações têm papel importante na terapia, destacando três propósitos terapêuticos: "(1) a acentuação da plena realização; (2) a facilitação do processo de elaboração; e (3) a recuperação de antigas experiências".

No primeiro caso, uma ação eficiente depende, em muito, de o indivíduo estar consciente de suas sensações corporais. Explica Polster (ibidem, p. 106) que "as dificuldades psicológicas resultam quando o ritmo entre a conscientização e a expressão é defeituoso". Quando fala sobre "conscientização para uma ação", o autor remete a uma fenomenologia do sensível, ou seja, ao desenvolvimento da capacidade de prestar atenção ao intercâmbio entre o organismo e o meio.

O autor exemplifica o segundo propósito mostrando a importância da consciência das sensações, as quais conduzem a sentimentos substantivos úteis na resolução de problemas que, de outra forma, seriam apenas verbalizados.

O terceiro propósito se apoia no papel das sensações para recuperar antigos acontecimentos. Concordo com Polster (ibidem, p. 108) quando diz que "as sensações, em vez de meras palavras, podem guiar o caminho para um antigo evento". Na prática terapêutica, muito além das palavras, o profissional há de se ocupar da experiência presente no cliente, a qual é apontada por sentidos e sensações – por vezes traduzidos em sentimentos que contextualizarão as experiências emergentes.

Sentidos, sensação, conscientização e experiência presente propiciam novos contatos, novas reconfigurações. Entendo toda essa dinâmica como a metodologia do trabalho terapêutico em Gestalt.

Considero o espaço terapêutico um lugar privilegiado para que os componentes de um grupo experimentem sua potência referente à maneira de olhar, falar, ouvir, tocar, expressar-se corporalmente, tornando o encontro mais vitalizado. A comunicação clara e autêntica reduz o ruído das introjeções e projeções tão comuns no âmbito conjugal e familiar. Por outro lado, abre espaço para o surgimento e a reconfiguração de inúmeras situações inacabadas entre os parentes.

> Se experiências passadas não tiveram resoluções satisfatórias, serão acionados mecanismos que impedirão a percepção clara no presente, dificultando o contato mais pleno com o ambiente. Assim, quando as situações inacabadas permeiam o contato atual, não é possível enxergar a realidade presente, contaminada que está pelos fantasmas do passado e expectativas quanto ao futuro. (Silveira, 2005, p. 12)

Em outro trabalho (Silveira, 2002, p. 65), coloco-me da seguinte maneira a esse respeito:

> Na complexidade que envolve a rede de interações pais, filhos, esposo, esposa, enteado, sogra, avó estão entrelaçados aspectos da vida do casal – como primeira unidade –, e da história de cada cônjuge resultam ajustamentos possíveis, nos quais, para além do amor, existem histórias de ódio, morte, poder, que encontram na intimidade do casamento um terreno fértil para sua expressão.

Até aqui, falei da importância do aparelho sensório--motor e da *awareness* no que se refere ao tema apresentado. Na sequência, assinalo a importância das fronteiras para um trabalho dentro de uma visão de campo.

Fronteira de contato é um dos conceitos mais centrais da abordagem gestáltica e indica o lócus funcional (Tellegen, 1984) em que ocorre o contato no campo organismo/meio.

> [...] o contato é algo dinâmico, ativo, e dependerá sempre de um acordo entre as partes envolvidas. Ademais, se observa que o contato é seletivo: ele escolhe o que deve ser assimilado. Percebe-se ainda que o que é assimilado é algo novo para o organismo. O ato de contatar envolve sempre a percepção clara da situação. O contato se faz na diferença. Trata-se da negociação de duas partes diferentes que se fundem para posteriormente se transformar. [...] O contato sempre ocorre num limite denominado fronteira de contato. A fronteira une e separa, tornando-se mais ou menos permeável, e, dessa forma, favorece, dificulta ou impede o contato. (Silveira, 2012a, p. 59)

No trabalho com casais e famílias, uma das tarefas do terapeuta é perceber as fronteiras. A fronteira circunscreve e assinala os limites do eu; organiza e dá forma; discrimina e separa o eu do não eu. A fronteira é o lugar do possível, da mudança. Para que a mudança aconteça, entretanto, é preciso um nível razoável de conscientização para perceber e diferenciar situações que se afiguram semelhantes, a fim de dar a cada necessidade a resposta mais adequada. O crescimento decorre do contato feito na fronteira.

Salomão, Frazão e Fukumitsu (2014, p. 53-54) recordam que

[...] no organismo saudável, em situação de bom funcionamento, a fronteira de contato é dotada de plasticidade e permeabilidade. Lembrando que plasticidade e permeabilidade das fronteiras não são fixas e absolutas – sua adequação dependerá da relação organismo/meio a cada momento.

As fronteiras podem estar espessas ou permeáveis demais em função da presença dos mecanismos de resistência. Assim, o excesso de resistência impede o bom funcionamento na fronteira. Em situação ótima, a família satisfaz suas necessidades na fronteira. Para mostrar como isso ocorre, Zinker (2001) se vale de um esquema que nos ajuda não só a compreender o funcionamento do sistema íntimo, como ele chama, como a facilitar o processo.

De forma simplificada, podemos dizer que ele apresenta as seguintes etapas: sensação, *awareness*, energia/ação, contato, resolução/fechamento e retraimento. O resgate de um ajustamento saudável em família pode ser feito através da dissolução dos nós que podem aparecer em qualquer parte desse ciclo. (Silveira, 2012b, p. 68)

Esses nós são formados pelo montante de resistência.

Saudavelmente, as resistências servem para indicar o limite, diminuir a velocidade para o contato, proteger o organismo. Elas auxiliam o terapeuta a perceber os alcances e possibilidades de cada indivíduo, par ou grupo íntimo.

Constato nos meus atendimentos a presença maior ou menor das resistências dando um colorido às fronteiras conjugais e familiares. Seguindo a bibliografia a esse respeito (Zinker, ibidem), confirmo que existem grupos parentais prio-

Modalidades de intervenção clínica em Gestalt-terapia

ritariamente dessensibilizados, sabendo cada membro pouco ou nada sobre os outros. Não há intimidade e seu potencial de contato no campo familiar é quase nulo. Pouco se envolvem uns com os outros. Nesses casos, a fronteira afetiva (Silveira e Peixoto, 2012) é pouco permeável, arrefecendo o poder de afetar e ser afetado no campo organismo/ambiente.

Outros grupos íntimos são mais introjetivos ou mais projetivos e se perdem no caminho. Embora tenham alguma consciência do que lhes acontece, estão pouco *aware* de como se impedem de ir adiante. Os deveres, as regras rígidas que regem os participantes conduzem à mesmice, à repetição, no caso das introjeções. Por funcionar sempre de acordo com o que é familiar, a ousadia é pouca, dificultando a criação – que implica se arriscar a ir além. Contando com o testemunho e o apoio do terapeuta, o espaço terapêutico é propício à experimentação. O grupo precisa sair do "como se" e ser verdadeiramente.

De outra maneira, fantasias, pensamentos e opiniões de uns membros sobre outros, que caracterizam as projeções, contaminam, distorcem e descomprometem cada um dos participantes da família, criando um verdadeiro jogo de culpas; alguém acusa e alguém fica como culpado. A família projetiva funciona com base na suposição. Desenvolver as funções de contato e o resgate da comunicação no presente (compartilhar a *awareness*) é fundamental quando isso acontece.

A confluência e a retroflexão em grupo são mais evidentes quando este se mobiliza para a ação. Ao mesmo tempo que há um movimento para o contato, e contato se faz nas (e com as) diferenças, para evitar o conflito o casal ou a família buscam um polo de concordância ou de semelhança, sem negociação. Como dizem Polster e Polster (2001), concordam em não discordar.

É também na tentativa de se dirigir para o contato que observamos mais claramente a retroflexão. Como afirma Zinker (2001), é comum que a família confluente seja retroflexiva. Ambas criam um campo fechado para outras interferências do ambiente. A primeira, porque o ambiente externo favorece a separação/diferenciação. A segunda, porque pretende uma autossuficiência que conduz ao espessamento da fronteira conjugal e/ou familiar em relação ao ambiente circundante. Assim, um membro cuida do outro sem se abrir para amigos ou terapeutas. A troca mútua deve ser estimulada. A diferença deve ser bem-vinda, as complementaridades, experimentadas como necessárias. Em particular na retroflexão, é preciso levar em conta a confiança, ou não, no terapeuta.

Muitos grupos íntimos chegam ao contato promovendo negociações inerentes a essa fase, mas logo se afastam, desviando o rumo da conversa para assuntos pouco ansiogênicos. A deflexão gira em torno de conversas amenas, mudanças de assunto e brincadeiras, fugindo da tarefa de contatar, que exige lidar com formas diferentes de ser e de pensar. Pagam, assim, o preço de deixar uma Gestalt em aberto. As habilidades do terapeuta devem conferir mais cor e vida ao contato para que o grupo tenha energia para dar um fechamento ao que foi trazido.

Pode ocorrer de a família fazer contato com algo novo e, em vez de se retirar, insistir no contato para manter a união dos membros, como se não confiassem uns nos outros sozinhos. Nesses casos, o ritmo união-separação atinge a família como um todo, que conflui, temendo a diferenciação e o afastamento

Modalidades de intervenção clínica em Gestalt-terapia

de seus membros. O terapeuta pode pedir que cada um mostre sua contribuição pessoal que resultou em ganhos para o grupo.

Pode ainda acontecer o contrário. Em vez de confluir, cada membro se isola e desfruta tanto de sua singularidade que cria uma fronteira individual mais rígida. A pessoa que se afasta não consegue, assim, interagir naturalmente com o grupo, voltado que está para sua autonomia. Um convite a participar, dizer o que tem quando está junto e quando está separado, ajuda a pessoa que se retira a entender esse movimento de sair e voltar.

A resistência na fronteira é maior quando existem questões não resolvidas. É preciso que situações sem resolução não interfiram na percepção das fronteiras de maneira drástica. Desse modo, como já vimos, a função da fronteira pode ser proteger, impedir ou permitir a troca com o ambiente em ritmo saudável. É necessário que a pessoa perceba com clareza a fronteira, para que a experiência de contato com o novo não represente para ela risco de perder-se, mas resulte em encontros que, pelo ritmo de união e separação, renovem e vivifiquem as partes envolvidas (Polster e Polster, 2001).

Questões referentes a invasão, distanciamento, confusão e/ou fusão, clareza, pouca visibilidade, diferenciação, discriminação são experimentadas na fronteira. O terapeuta também precisa estar consciente de suas fronteiras. O que é do campo do organismo? O que é do campo do nós? Essa é a dança dos relacionamentos.

Atendi uma família composta de pai, mãe e um casal de filhos. O pai era uma pessoa violenta; o filho de 15 anos literalmente não trocava uma palavra com o pai, podia até apanhar que não abria a boca. A mãe, muito assustada, fazia tudo para não aborrecer o pai; a filha de 8 anos era a mediadora da família, tentando uma interlocução entre os membros. No atendimento, ela sempre sentava ao meu lado e agia como (co)terapeuta. Era prazeroso ver a sensibilidade da menina – a única a que todos ouviam. Porém, fiquei em dúvida sobre o fato de a menina atuar como a mediadora e apaziguadora da família e esta não lhe tirar o lugar de filha. Aproveitando o fato de ela estar perto de mim, perguntei se acreditava que eu podia ajudar a família dela. Como ela assentiu, sugeri que ficasse perto dos outros membros, onde quisesse, pois afinal de contas ela era filha e também precisava de ajuda. Ela então disse: "Eu sou filha, mas tenho de ajudar porque sou a única que fala com todo mundo". Perguntei-lhe então sobre como era quando ela precisava de cuidado. Ela não respondeu. Foi para junto da mãe e se aninhou. A mãe começou a acariciá-la e mudou de postura: saiu do lugar de vítima, olhou para o pai e pela primeira vez, ali na consulta, se colocou vigorosamente em relação ao marido, liberando a criança de um papel que não era seu.

Nesse grupo familiar, os filhos não exerciam o papel de filhos. O mais velho se mantinha em silêncio e parecia competir com o pai. A mãe ficava acuada, não protegia a filha. Esta última se colocava no lugar dos pais, protegendo os demais membros. Ela fazia o pai rir para amenizar as infindáveis brigas do casal, enquanto ele mantinha a família sob controle por meio da violência.

Muitas mudanças decorreram desse episódio: depois de um tempo, apenas o casal continuou a terapia, já que o motivo inicial – o silêncio do filho – deslocou-se para questões mal resolvidas na vida conjugal. Entretanto, o que quero sinalizar aqui é como as fronteiras não estavam delimitadas.

Pelo que expus até agora, creio estar claro que o processo terapêutico pretende novas criações, novas reconfigurações conjugais ou familiares, por meio da conscientização. Em minha experiência, percebo que, quando a configuração familiar se modifica, mudam a queixa, o sintoma e o paciente identificado, abrindo-se espaço para outras maneiras de gerir os conflitos da vida em comum. Esse é o momento da alta – que será sempre negociada com os participantes do processo.

Quero agora assinalar dois aspectos muitíssimo importantes que foram pouco enfatizados. O primeiro deles refere-se ao papel do terapeuta. A esse respeito, percebo quanto mudei nos meus atendimentos individuais depois que passei a estudar e a atender casais e famílias.

Acolhida, respeito às diferenças, clareza de fronteiras, capacidade de observar e intervir no todo, humildade, segurança, confiança no potencial do casal e da família para mudar, estar junto sem se impor, liberdade para perceber o processo, versatilidade, criatividade, coragem, capacidade de trabalhar com a forma e favorecer a "boa forma" são recursos que um terapeuta deve estar sempre desenvolvendo, visto que, para além da técnica, existe um estado de arte nos encontros realizados no campo família e/ou casal e terapeuta.

Por último, destaco o papel do experimento, que permite ao grupo íntimo descobrir as boas formas. Não me refiro apenas ao experimento proposto, mas também ao campo experiencial que é criado. Esse é o diferencial entre a Gestalt-terapia e as outras abordagens: a oportunidade de experimentar no presente algo que estava anuviado, pouco vitalizado, entendido apenas de forma racional, ou não consciente de todo, deixando apenas sinais nas leves impressões demonstradas pelos atendidos. Alvim e Ribeiro (2001, p. 37) contemplam o que desejo transmitir:

> A existência se dá no campo organismo-ambiente e a experiência é uma estrutura configurada a partir dessa situação relacional no mundo. Partindo do *id* da situação, a psicoterapia visa à ampliação da experiência do cliente, no aqui-agora do encontro terapêutico, para significar sua ação espontânea e criativa no mundo. O processo de contato implica um mergulho no mundo ambíguo da experiência com o outro, gerando oportunidade de um exercício criativo envolvido com uma capacidade humana de agredir, transformar e instituir. Consideramos a experimenta-ação na Gestalt--terapia meio para que a ação espontânea e criativa se desvele, produzindo significados e transgredindo o instituído.

Para dar luz à experiência que emerge, o terapeuta recorre ao que chama em Gestalt de experimento, criando assim uma situação de emergência que Perls, Hefferline e Goodman (1997) destacam como um dos papéis da psicoterapia.

Os experimentos nos grupos familiares são feitos na maioria das vezes com a participação de todos e permitem que, pela conscientização, eles descubram novos ajustamentos criativos. O repertório instrumental do terapeuta, que inclui intervenções verbais e não verbais, possibilita que o grupo entenda como ele funciona, conhecimento, segundo Ginger e Ginger (1995), fundamental para o processo de mudança.

Todas as expressões criativas têm resquícios do *ser*. Em Gestalt-terapia de casal e de família, os terapeutas podem recorrer à modelagem, à pintura, à dramatização, ao desenho, buscando ligações que permitam uma (re)significação e uma (re)configuração perceptiva. Os sinais de saúde aparecem, então, quando a fronteira familiar ou do casal está livre dos bloqueios ligados a padrões, valores, crenças e experiências passadas que impedem o livre fluxo do potencial criativo e estariam a serviço da resistência à mudança. É possível, nesse momento, constatar as reconfigurações decorrentes dos ajustamentos criativos – que, segundo Perls, Hefferline e Goodman (1997), são o processo de fazer contato com o ambiente por meio de uma fronteira. Quando o ajustamento é saudável, favorece o desabrochar da individualidade e o florescer dos relacionamentos. Dessa maneira, a liberdade de optar por outras formas de ser em família traz o prazer dos verdadeiros encontros, nos quais o estar juntos reforça, respeita e acolhe a diferença, favorecendo o ir e vir saudável dentro e fora do campo familiar. Pode ocorrer, no entanto, que parceiros ou familiares, conscientes de suas escolhas, optem por não se manter juntos. Nesse caso, é trabalho do terapeuta permitir e facilitar as separações da forma mais justa e verdadeira possível, sendo esse mais um caminho criativo.

Por fim, quero deixar registrada a impossibilidade de abranger todas as dimensões do trabalho terapêutico com grupos íntimos, tais são a diversidade, a abrangência e a riqueza de modelos de relacionamentos íntimos na atualidade. Contudo, ressalto também o fascínio que sinto ao acompanhar, perder-me e encontrar-me no processo de ser em família com aqueles que me convidam a trilhar com eles parte de sua vida.

REFERÊNCIAS

ALVIM, M. B.; RIBEIRO, J. P. "O lugar da experiment-ação no trabalho clínico em Gestalt-terapia". *Estudos e Pesquisas em Psicologia*, ano 9, n. 1, 2001, p. 37-58.

CASTILHO, T. *Família e relacionamento de gerações*. Painel apresentado no Congresso Internacional Co-educação de Gerações. Sesc São Paulo, out. 2003.

DELACROIX, J. M. Encuentro con la psicoterapia. Una visión antropológica de la relación y el sentido de la enfermedad en la paradoja de la vida. Santiago: Cuatro Vientos, 2009.

ELÍDIO, H. "Teoria de campo". In: D'Acri, G.; Lima, P.; Orgler, S. Dicionário de Gestalt-terapia: "Gestaltês". São Paulo: Summus, 2012, p. 225-27.

FRAZÃO, L. M. "O pensamento diagnóstico e Gestalt-terapia". Revista de Gestalt, n. 1, 1991, p. 41-46.

_____. "A importância de compreender o sentido do sintoma em Gestalt-terapia: contribuições da teoria de relação objetal". Revista de Gestalt, n. 2, 1992, p. 41--51.

GINGER, S.; GINGER, A. *Gestalt: uma terapia de contato*. São Paulo: Summus, 1995.

GOLDSTEIN, K. *The organism: a holistic approach to biology derived from pathological data in man*. Nova York: Zone Books, 2000.

LIMA, P. "Holismo". In: D'ACRI, G.; LIMA, P.; ORGLER, S. *Dicionário de Gestalt--terapia: "Gestaltês"*. São Paulo: Summus, 2012, p. 142-43.

PARLETT, M. "Réflexions sur la théorie du champ". In: ROBINE, J. M. (org.). *Les cahiers de Gestalt-thérapie*. Paris: Collége Français de Gestalt-Thérapie, 1999.

PERLS, F. "Resolução". In: PERLS, F.; STEVENS, J. O. *Isto é Gestalt*. São Paulo: Summus, 1977, p. 99-105.

_____. *Ego, fome e agressão*. São Paulo: Summus, 2002.

PERLS, F.; HEFFERLINE, R.; GOODMAN, P. *Gestalt-terapia*. 2. ed. São Paulo: Summus, 1997.

PERLS, L. *Viviendo en los limites*. Valência: Promolibro, 1994.

POLSTER, E. "Funcionamento sensorial em psicoterapia". In: FAGAN, J.; SHEPHERD, I. L. (orgs.). *Gestalt-terapia: teoria, técnicas e aplicações*. Rio de Janeiro: Zahar, 1977, p. 101-09.

POLSTER, E.; POLSTER, M. *Gestalt-terapia integrada*. São Paulo: Summus, 2001.

RIBEIRO, J. P. *Gestalt-terapia: refazendo um caminho*. São Paulo: Summus, 1985.

ROBINE, J. M. *O self desdobrado: perspectiva de campo em Gestalt-terapia*. São Paulo: Summus, 2006.

SALOMÃO, S.; FRAZÃO, L. M.; FUKUMITSU, K. O. "Fronteiras de contato". In: FRAZÃO, L. M.; FUKUMITSU, K. O. (orgs.). *Gestalt-terapia: conceitos fundamentais*. São Paulo: Summus, 2014, p. 47-62.

SILVEIRA, T. M. "Individualidade, conjugalidade e instabilidade no casamento contemporâneo". *Gestalt-terapia Jornal*, v. VIII, 2002.

_____. "Caminhando na corda bamba: Gestalt-terapia de casal e de família". *Revista IGT na Rede*, n. 2, ano 3, 2005.

Modalidades de intervenção clínica em Gestalt-terapia

_____. "Contato". In: D'Acri, G.; Lima, P.; Orgler, S. *Dicionário de Gestalt-terapia: "Gestaltês"*. São Paulo: Summus, 2012a, p. 59-60.

_____. "Entre o amor e a dor, um espaço para criar: casais, famílias e Gestalt-terapia". In: Pimentel, A. (org.). *Gestaltens: pesquisas em educação, saúde e violências*. Belém: Amazônia /Ed. da Universidade Federal do Pará, 2012b.

Silveira, T. M.; Peixoto, P. T. *A estética do contato*. Rio de Janeiro: Arquimedes, 2012.

Tellegen, T. A. *Gestalt e grupos: uma perspectiva sistêmica*. São Paulo: Summus, 1984.

Yontef, G. *Processo, diálogo e awareness*. São Paulo: Summus, 1998.

Zinker, J. C. *Em busca da elegância em psicoterapia: uma abordagem gestáltica com casais, famílias e sistemas íntimos*. São Paulo: Summus, 2001.

Zinker, J. C.; Zinker, S. C. "Processo e silêncio: fenomenologia da terapia de casais". *Revista de Gestalt*, n. 9, 2000, p. 7-16.

7
Abordagem gestáltica
no trabalho com grupos

SELMA CIORNAI

*Do seu despertar ao seu ocaso, a pessoa humana é
necessariamente um ser de relação. É na relação, no
contato, no encontro que ela se transforma e
humaniza [...] Quanto mais conheço os homens,
mais vejo o grupo como o lugar ideal para
passar a limpo a humanidade [...]*
(Ribeiro, 1994, p. 9-11)

O INÍCIO: TRABALHO INDIVIDUAL EM GRUPO

Desde seu surgimento, a Gestalt-terapia compreendeu o ser
humano como relacional, como ser no mundo, fundamentan-
do sua teoria nas questões e peculiaridades dos processos de
contato (estilos, dificuldades, interrupções etc.) e na indissociabilidade do campo indivíduo/meio.

No entanto, apesar da forte ênfase na característica relacional do existir humano, a Gestalt-terapia, nos anos 1960 e
1970, configurou-se como uma terapia individual em grupo.
Vivi em São Francisco, Califórnia, de 1978 a 1983, época em
que tive a oportunidade de participar dos vários grupos de
formação do Instituto Gestalt de São Francisco e de diversos

Modalidades de intervenção clínica em Gestalt-terapia

grupos em *workshops* de Gestalt-terapia em Esalen e cercanias. A estrutura do processo vivido era sempre a mesma: uma pessoa se dispunha a trabalhar, sentava-se ao lado do terapeuta em frente a uma almofada vazia e o processo se desenvolvia entre terapeuta-cliente e quem quer que imaginariamente estivesse projetado na almofada, enquanto o grupo funcionava como um fundo presente, suportivo mas silencioso. Uma terapia individual *em* grupo. Às vezes, ao final, a pessoa que estava trabalhando podia ser conduzida a observar ou a dizer a membros do grupo algo que atualizasse no aqui e agora o que tivesse elaborado no processo terapêutico com seus personagens internos (pai, mãe etc.). Porém, o grupo basicamente só participava compartilhando ao final as ressonâncias e impressões que o trabalho lhe causara.

É verdade que os *workshops* em Esalen, na época em que Perls lá esteve, visavam demonstrar o método de terapia gestáltica com indivíduos a grupos de terapeutas. No entanto, esse modelo diádico (terapeuta-cliente) se manteve em grupos terapêuticos variados, pois o que estava em foco eram as dinâmicas psicológicas "internas" do cliente. Tal ênfase chegou ao preciosismo (e ao absurdo) de o coordenador não permitir que um participante respondesse à (ou compartilhasse) sua perspectiva de alguma experiência inter-relacional em que houvesse se envolvido, relatada por outro membro do grupo[1].

---

1 Regra de funcionamento no curso intensivo "Gestalt e relações objetais", com Robert Martin, 1987, Estados Unidos.

INCLUINDO A PERSPECTIVA DE GRUPOS COMO SISTEMA

No entanto, um modelo que levava em conta a dinâmica grupal foi desenvolvido no Instituto de Cleveland. Em 1977 (2007), Joseph Zinker publicou, em *Processo criativo em Gestalt-terapia*, o capítulo "Grupos como comunidades criativas", no qual enfatiza a importância da atenção ao grupo como sistema e elenca quatro princípios básicos: a primazia da experiência grupal em andamento; o processo de desenvolvimento da *awareness* grupal; o contato ativo entre os participantes; e o uso de experimentos interativos, o que requer do líder a habilidade de instigar a criatividade e a energia grupal.

Zinker (ibidem, p. 186-87) também lista as "regras básicas para participantes de grupos gestálticos" – que se tornaram tão conhecidas e difundidas que outras abordagens as incorporaram, ainda que sem mencionar o referencial gestáltico original. *Falar na primeira pessoa* (em vez de generalizar para "as pessoas", "a gente" etc.); *responsabilizar-se por si* (isto é, pela escolha do que compartilhar, por como, quando e quanto se expor, pelas atitudes e reações no grupo); *compartilhar a experiência presente* ao estar no grupo (sensações, sentimentos, percepções e pensamentos que emirjam no aqui e agora, buscando não teorizar); *falar diretamente com a pessoa a quem se dirige*; *escutar a experiência dos outros sem tecer interpretações e relações causais*; *fazer afirmações no lugar de perguntas*; aprender a "colocar entre parênteses" sentimentos e expressões que interrompam a pessoa que estiver falando ou o fluxo de um acontecimento grupal importante; *respeitar o espaço psicológico dos outros* etc. Tais regras foram posteriormente revistas e expandidas por Ruth Ronall (1980).

O MODELO DO INSTITUTO DE CLEVELAND: A VIRADA NO TRABALHO TERAPÊUTICO COM GRUPOS EM GESTALT-TERAPIA

Três anos depois, foi publicado um livro que representou um marco na evolução da terapêutica em e com grupos na nossa abordagem: *Beyond the hot seat: Gestalt approaches to group*, organizado por Feder e Ronall. O capítulo de abertura, "Processos de grupo gestáltico", de Elaine Kepner, dá um enquadre teórico às várias aplicações clínicas que o seguem. Escrito com base na abordagem gestáltica e na metodologia desenvolvida pela equipe do Instituto de Cleveland, o texto se tornou referência em todos os cursos e escritos sobre grupos no nosso meio.

A autora descreve a ampliação do foco inicial na elaboração intrapsíquica com indivíduos *em grupo* para um processo também *com o grupo* (equipe de trabalho, família, grupo terapêutico, de crescimento etc.), contemplando as dinâmicas decorrentes de ser membro de um grupo ou "sistema íntimo" (Zinker, 2007):

> Como equipe, havíamos nos afastado do modelo psicoterápico individualmente orientado, em parte para evitar alguns dos paradoxos e desequilíbrios desse processo de grupo que, entre outras coisas, reforça o culto do "indivíduo" e cria uma relação de dependência entre membros e coordenadores. (Kepner, 1980, p. 12, tradução minha)

Nesse modelo, diz Kepner, "o coordenador se propõe a trabalhar tanto o indivíduo como o grupo para o fortalecimento de ambos" (ibidem, p. 13).

A autora (ibidem, p. 5, tradução minha) afirma ainda:

Trata-se de um modelo em que o coordenador utiliza lentes bifocais [...] Dessa perspectiva, o grupo é visto não como uma coleção de indivíduos, mas como um potente meio psicossocial que afeta de modo profundo os sentimentos, atitudes e comportamentos dos indivíduos naquele sistema, sendo ao mesmo tempo profundamente afetado pelos sentimentos, atitudes e comportamentos dos indivíduos que o compõem.

Essa perspectiva é pela primeira vez integrada à prática da Gestalt-terapia, embora também apareça nos escritos de profissionais de outras abordagens, como Bion (1961) e Yalom (2006). Um princípio orientador fundamental desse enfoque é levar em conta que em qualquer grupo ocorrem processos simultaneamente em três níveis do sistema: *intrapsíquico*, *inter-relacional* e *sistêmico*, isto é, do grupo como um todo, cabendo ao terapeuta escolher em que nível sistêmico intervir a cada momento e qual deles priorizar como figura de atenção.

Assim, para atender aos objetivos de uma terapia individual – ampliação de *awareness* intrapsíquica e relacional, resolução de situações inacabadas e/ou cristalizadas, experimentos com novas formas de ser e estar no mundo etc. –, o coordenador de um grupo poderá preferir, em determinado momento, focalizar questões e a *awareness* de processos grupais:

Como criar as condições que permitam a essas pessoas usar-se mutuamente como recursos? Como ajudá-las a criar relacionamentos que forneçam o melhor ambiente de aprendizagem a todos? Como ajudá-las a desenvolver consciência das polaridades e escolhas existentes entre cuidar de indivíduos e cuidar do grupo? (Kepner, 1980, p. 14-15, tradução minha)

O coordenador poderá então funcionar como *terapeuta individual*, como *facilitador de processos interpessoais* ou como *facilitador de processos e dinâmicas grupais*.

Outro aspecto fundamental dessa modalidade de trabalho é a atenção aos *estágios de desenvolvimento do grupo*, que toma o modelo de Schutz (*apud* Kepner, 1980) como base para compreender o comportamento de indivíduos em grupo e a dinâmica do processo grupal. Schutz lista três categorias de necessidades que as pessoas trazem aos grupos: *a necessidade de se afiliar ou pertencer* (que tende a gerar comportamentos dependentes), a *necessidade de autonomia* (que tende a produzir comportamentos contradependentes) e a *necessidade de afeição* (que produz comportamentos interdependentes). Apesar de inter-relacionadas e sempre presentes, elas tendem a destacar-se em ordem hierárquica no decorrer do tempo, caracterizando três etapas de desenvolvimento grupal que devem orientar as intervenções dos coordenadores. Kepner (ibidem) assim as resume:

Primeira etapa: identidade e dependência

Fase do grupo em que se fazem presentes, de modo silencioso, perguntas sobre quem e como são os outros participantes, como vão me perceber, receber e tratar, como deverei me comportar, o que será seguro ou não trazer, quais serão as normas grupais, como serão os encontros etc.

Nessa fase, os coordenadores devem ter como foco prover e facilitar respostas a essas questões, deixando claros contratos e limites e propondo dinâmicas de apresentação e contato com e entre os membros do grupo, que possibilitem a troca de informações e a percepção de similaridades e diferenças.

Segunda etapa: influência e contradependência

Fase em que o grupo já se conhece e questões de influência e poder, alianças, exclusões, questionamentos e a necessidade de expressar sentimentos e percepções inter-relacionais se tornam figurais, tanto entre os membros do grupo como com os coordenadores. Nessa etapa, os coordenadores devem estimular os processos de *awareness* sobre as normas e crenças que silenciosamente regem o grupo, a flexibilização e a rotatividade de papéis e a expressão segura de conflitos e descontentamentos inter-relacionais, estimulando a reflexão sobre como o grupo está funcionando – tolhendo o desenvolvimento de cada um ou colaborando para ele.

Terceira etapa: intimidade e interdependência

Segundo Kepner (1980), nesse estágio os membros do grupo desfrutam de uma intimidade real, diferente da "lua de mel" inicial. Sentem-se aceitos, validados, e podem contar com o apoio, compreensão, afeto e solidariedade do grupo, mesmo em momentos de questionamento e confronto. Nessa etapa, os coordenadores participam de tal sinergia, propondo por vezes algum experimento que responda aos temas emergentes no grupo e ajudando-o a reconhecer o que não foi possível resolver e a elaborar seu término.

Esse texto de Elaine Kepner continua a ser leitura obrigatória em todos os cursos sobre trabalhos com grupos em Gestalt-terapia, pois de fato provê um modelo de compreensão e atuação bastante útil a quem coordena grupos.

Modalidades de intervenção clínica em Gestalt-terapia

PONTES ENTRE NÍVEIS SISTÊMICOS

A concepção dos três níveis de atuação sistêmica menciona-
dos tem-me ajudado a perceber que a grande maestria do terapeuta é discernir em que nível sistêmico sua intervenção
será mais adequada (considerando o momento do indivíduo e
o do grupo), mas também *estabelecer pontes* entre esses níveis. Tais intervenções são fundamentais à criação e à percepção de ressonâncias e identificações, à construção de vínculos
e à formação de uma rede de apoio grupal.

Por várias ocasiões presenciei grupos em que uma pessoa começava a falar, se estendia e o grupo se desinteressa-
va. Os participantes começavam a se levantar, recriando às
vezes o mesmo cenário de abandono, mágoa e sentimento
de rejeição que a levara inicialmente a falar. Interromper,
de modo gentil e breve, essa pessoa – perguntando ao grupo: "Alguém aqui se identifica com o que ela está dizendo?", "Alguém mais aqui teve experiências semelhantes e
poderia compartilhar sua experiência?" – cria pontes do
intrapessoal ao interpessoal e desse nível ao grupo como
um todo. Claro que, para possibilitar às pessoas encontrar
em si ressonâncias com o que está sendo dito, é necessário
abstrair as particularidades do relato (por exemplo, "ter se
sentido traído", independentemente de por quem, como ou
onde). Porém, quando os participantes do grupo tomam
tempo e espaço para localizar ressonâncias em sua história
pessoal com o tema levantado, isso gera identificações e envolvimento pessoal com o tema. Uma comoção partilhada
começa a circular no grupo, promovendo o suporte que inicialmente inexistia.

Já nos grupos temáticos propostos por Cohn (1969--1970), o grupo pontua antecipadamente um tema ao coordenador ou um tema é proposto ao grupo (violência urbana, envelhecimento, discriminação, padrões relacionais etc.). O processo se dá em seis passos:

1. Estabelecimento ou escolha do tema.
2. Introspecção – os coordenadores sugerem aos participantes que fechem os olhos e que cada um reveja o tema em sua vida evocando sentimentos, sensações e memórias a ele associados.
3. Os coordenadores pedem que as pessoas abram os olhos, observando os demais integrantes do grupo sem falar, apenas presentificando o tema e o que foi evocado no aqui e agora.
4. Depois, algum tipo de compartilhamento (em duplas, trios ou com o grupo todo) é sugerido, com a consígnia de que cada um fale na primeira pessoa: "para mim", "na minha vida" etc.
5. A seguir, os coordenadores e participantes identificam e nomeiam as similaridades e diferenças percebidas nas experiências relatadas.
6. Dessa dinâmica em torno do tema central surgem questões e polarizações que são então processadas em algum tipo de experimento grupal. Por exemplo, no Instituto Gestalt de São Francisco, participei em 1981 de um *workshop* experimental sobre o tema "Ameaça nuclear: isso o preocupa?" O processo evoluiu para a dramatização de um julgamento em que um subgrupo defendia e outro condenava o uso da energia nuclear, mas tendo sempre

Modalidades de intervenção clínica em Gestalt-terapia

presentes as pontes entre o intrapsíquico individual e o sistêmico.

DESDOBRAMENTOS POSTERIORES

Baseada nesses princípios orientadores, no trabalho de arteterapia com grupos em contextos terapêuticos, institucionais ou comunitários, proponho uma dinâmica que constrói continuamente pontes entre os três níveis sistêmicos citados, seguindo os seguintes passos:

- Sugestão ou emergência de um tema.
- Aquecimento temático.
- Expressão plástica das experiências de cada participante com o tema na perspectiva de sua vida pessoal.
- Compartilhamento das produções individuais em subgrupos de duas a seis pessoas.
- Identificação de similaridades em cada subgrupo.
- Criação grupal, em cada subgrupo, sobre os temas comuns identificados, utilizando a combinação de linguagens expressivas que desejarem (artes visuais, movimento, música, dramatização etc.).
- Apresentação aos demais participantes.
- Identificação de possíveis temas comuns nas apresentações dos subgrupos.
- Elaboração de um projeto global, com base nesses temas, que inclua a todos.

Esse tipo de dinâmica grupal tem-se revelado muito interessante e eficaz, pois permite a expressão individual de cada participante, identificações, espelhamentos, diálogos, criação de vínculos, alianças e o incentivo ao sentimento de pertencimento e inclusão sem perda da identidade individual. Possibilita também que cada um seja autor e observador, criando tanto ao fazer como ao observar, uma vez que a criação continua nos olhos de quem vê (Arnheim, 1974). E, sobretudo, permite que cada um amplie, descristalize e eventualmente reconfigure seu olhar pelo contato com as percepções dos demais participantes do grupo.

Ainda ligado ao modelo de Cleveland, seguiu-se *A busca da elegância em psicoterapia: uma abordagem gestáltica com casais, famílias e sistemas íntimos,* de Zinker (2001), leitura obrigatória a todos os que lidam com famílias e grupos com uma história de convívio mais longo, pois transpõe para uma perspectiva sistêmica e interacional o ciclo e os estilos e interrupções de contato na vida de casais e sistemas íntimos.

Outros autores – como Saner (1989), Frew (1992), Ciornai (1996) e Wheeler (2000) – trouxeram considerações críticas sobre a perspectiva individualista da abordagem gestáltica desenvolvida nos Estados Unidos, preparando o terreno para a emergência do paradigma de campo também no trabalho com grupos, na teoria e na prática da Gestalt-terapia.

A FÍSICA QUÂNTICA E OS NOVOS PARADIGMAS DE CAMPO COMO NORTEADORES

No início do século XX, a Teoria da Relatividade de Einstein e os estudos sobre física quântica de cientistas como Planck, Bohr, Schroedinger e Heisenberg, entre outros, dão à física um novo paradigma. Enquanto o paradigma newtoniano implica a compreensão do mundo pela separação e posterior análise das partes de um todo, na nova física "o universo deixa de ser visto como uma máquina, composta de uma infinidade de objetos, para ser descrito como um todo dinâmico, indivisível, cujas partes são essencialmente inter-relacionadas" (Capra, 1982/1993, p. 72).

Aos poucos, essa percepção passa a influenciar a forma como percebemos a natureza dos grupos. Com microscópios mais potentes, a investigação experimental dos átomos levou os cientistas a concluir que, em vez de partículas duras e sólidas, como se concebia antes, os átomos consistem na verdade em vastas regiões de espaço onde partículas extremamente pequenas – os elétrons – se movimentam ao redor de um núcleo (como em um sistema solar). Concluíram, ainda, que até mesmo esses núcleos são formados por partículas subatômicas que não se assemelham em nada à concepção de matéria da física clássica. Mais ainda: descobriram também que tais partículas subatômicas têm, na verdade, um aspecto dual: ora comportam-se como partículas ora como ondas.

> O paradoxo onda/partícula forçou os físicos a aceitarem um aspecto da realidade que contestava a visão mecanicista de mundo: o conceito de realidade da matéria. Um elétron na verdade não é uma onda ou uma partícula, mas pode apresentar aspectos de ambos. (Capra, ibidem, p. 73-74)

Junto com essa descoberta, a nova física avançou também na compreensão de que toda massa é na realidade uma forma de energia concentrada. A palavra *"quanta"* vem justamente para designar a quantidade de energia mínima necessária para que a reversibilidade matéria-energia aconteça. Essas perspectivas, transpostas às ciências humanas, vêm lentamente mudando nossa concepção sobre a natureza humana (Ciornai, 2009).

No paradigma newtoniano, a visão de ser humano como "matéria" implica fundamentalmente separatividade, indivíduos que, como bolas em uma mesa de bilhar, entram em contato exclusivamente por meio de algum contato físico, verbal, escrito – pessoalmente ou por intermédio de algum tipo de sinal (telefone, internet etc.). O pressuposto é que somos basicamente seres separados, tendo a civilização ocidental, como aponta Wheeler (2000), sido regida por esse paradigma individualista há 3 mil anos.

No entanto, ondas de energia, ao contrário de partículas, atravessam espaços, se propagam e se interpenetram. E essa perspectiva amplia e muda radicalmente nossa visão sobre nós mesmos e nossas relações com os demais, pois nesse paradigma, tal como a luz, *somos tanto matéria como onda* – e, portanto, *fundamentalmente interconectados e interpenetrados* para além do que percebemos. A esse paradigma de interconexão e interdependência, nas ciências humanas, denominou-se de paradigma de campo (Ciornai, ibidem).

Nesse sentido, tomando como metáfora o modelo atômico da nova física antes descrito, consideremos: o que faz que uma coleção de indivíduos se torne um grupo? Delacroix (2013, p. 4) postula que "a reunião de várias pessoas interagindo em torno de um interesse ou um objetivo comum (terapia, treinamento etc.) cria um 'campo' magnético, relacional, interacional e energético" (tradução minha). Afirma, ainda, que é com base nos fenômenos de ressonância, interconexão e interdependência, assim como no compartilhar de informações, que esse "fundo grupal" vai se tecendo.

No contexto desse "fundo grupal", as diversas modalidades de fenômenos de contato (atração, rejeição, identificações, ressonâncias, dissonâncias, projeções, confluências, retroflexões, proflexão, egotismo etc.) começam a ocorrer no grupo, gerando emoções e reações, às vezes intensas, que são suscitadas e mobilizadas nesse processo (tensão, excitação, enternecimento, medo, raiva, vergonha etc.). Assim, a emergência e a presença de afetos, ao permear o grupo e circular nele – mesmo que inconscientemente –, constroem, segundo Delacroix (2006, 2013), o fundo emocional do grupo ou a "emocionalidade grupal" (conceito tomado da psicodramatista Ophélia Avron, propondo em Gestalt-terapia denominá-lo de "id da situação grupal"). Perls, Hefferline e Goodman (*apud* Robine, 2003, p. 31) mencionam o termo "*id da situação*". O autor desenvolveu a ideia e sublinhou a fundamental diferença entre "colocar o sujeito, o organismo, o contato [...] como eventos *do* campo e não *no* campo".

Nessa perspectiva, os membros do grupo participam de uma dinâmica de coafetação e coinfluência, e o grupo como sistema vivo torna-se uma Gestalt complexa, "distinta da soma de suas partes". Cada participante se faz presente *no grupo* com sua história, sua experiência de vida, seu modo de ser e perceber, mas também como expressão *do grupo*, assumindo em determinados momentos o papel de porta-voz (ou bode expiatório) da figura emergente.

Esse processo de desenvolvimento e coconstrução da dinâmica grupal é nomeado por Delacroix (2013, p. 7) de "*self* grupal" em movimento. Seu processo facilitará ou dificultará a *awareness*, a criação e a reconfiguração de *Gestalten* e a fluidez ou cristalização de temas e formas de contato – no nível individual, inter-relacional e grupal (retomando os níveis sistêmicos postulados por Kepner) –, dando aos participantes um sentido de enriquecimento que os atrairá para nele permanecer ou, ao contrário, os levará a um processo de desistência e afastamento.

Nessa perspectiva, a função do terapeuta, como copartícipe do campo, é a de acompanhar e facilitar o processo grupal, buscando "reconhecer e nomear as forças visíveis e invisíveis atuantes no campo e compartilhar com o grupo essas percepções, sem interpretações ou julgamentos" (Delacroix, 2013, tradução minha).

Sintetizando: ao coordenador de grupo que toma como norte o paradigma de campo, é importante não esquecer a natureza de partícula e de onda que a nova física nos traz, e os decorrentes fenômenos de interconexão e interdependência. Ele deve trabalhar "tanto o indivíduo quanto o grupo para o fortalecimento de ambos"; perceber "o id" da situação grupal, ou seja, as emoções do campo e os movimentos de *self* do grupo como sistema; dispor-se, da forma mais honesta possível, a identificar constantemente o que traz ao grupo, manifesto corporal e verbalmente ou não (simpatias, antipatias, receios, preocupações, inseguranças etc.) – reconhecendo como o grupo o mobiliza ou emociona, sem acreditar que o que não é "dito" não é transmitido e comunicado.

VANTAGENS E BENEFÍCIOS DO TRABALHO COM GRUPOS E COMUNIDADES

Se nos anos 1960 e 1970 trabalhávamos muito com grupos, e nas duas décadas seguintes os grupos se esvaziaram e nossa prática voltou-se quase exclusivamente ao atendimento indi-

Modalidades de intervenção clínica em Gestalt-terapia

vidual, hoje vemos o renascer da proposta grupal em instituições sociais e no atendimento comunitário – cuja denominação atual é de "clínica estendida" ou "ampliada".

Alguns dos benefícios e vantagens dos processos grupais
já foram apontados aqui: o grupo como matriz de espelhamentos, identificações, ressonâncias, empatia, ampliação de
awareness e criação de uma rede afetiva de apoio.

Referência na teoria e na prática da psicoterapia de grupo,
Yalom e Molyn Leszcz (2006) pontuam outros fatores que mere-
cem ser assinalados:

- *Instilação da esperança:* o contato com membros do
grupo que já passaram por situações semelhantes e conse-
guiram superá-las é inspirador. Os grupos de apoio para
pessoas com questões semelhantes (drogadição, alcoolismo,
obesidade, violência etc.) se apoiam largamente neste fator.
- *Universalidade:* as pessoas percebem que outras também tiveram ou têm problemas semelhantes e compartilham seus dilemas, não se sentem únicas, excluídas e sós.
- *Compartilhamento de informações:* em um grupo
compartilham-se informações e referências úteis. De informações médicas a estratégias de enfrentamento, o grupo se torna uma rede de consulta e sugestões.
- *Altruísmo:* em grupos, mesmo pacientes que estejam
em condições extremas de vulnerabilidade mental ou social, podem dar de si aos outros, sentindo-se com isso
úteis, importantes e valorizados, aprendendo a criar relações de cooperação e solidariedade.
- *Experiências emocionais corretivas:* o grupo pode
prover experiências reparatórias a vivências traumáticas

e padrões vinculares iniciais. Conflitos e *Gestalten* cristalizadas que estejam de fundo podem emergir no aqui-agora da relação grupal e, mediante experiências reparatórias, reconfigurar-se.

- *Desenvolvimento de técnicas de socialização e aprendizagem interpessoal*: o grupo provê a possibilidade de aprender novas habilidades inter-relacionais e experimentá-las.

- *Coesão grupal*: o grupo pode tornar-se um fator de fortalecimento à medida que o indivíduo deixa de sentir-se só e recebe o apoio dos demais. A pessoa que se percebe só, sem afeto e atenção, passa a sentir-se aceita, vista, escutada, integrada e tratada com afeição.

- *Catarse*: o grupo terapêutico, especialmente, permite a atuação catártica por meio de experimentos simbólicos vividos em marcos controlados e seguros.

Ainda sobre os benefícios do trabalho com grupos, Ribeiro (1994, p. 11) poeticamente afirma:

> No grupo, cada um de seus membros tem a oportunidade rara de ver o mundo e a si mesmo com os olhos do outro, de se ouvir com os ouvidos do outro, de se tocar com as mãos do outro, de se amar com o coração do outro, de se descobrir imensamente limitado e potencialmente divino, sagrado, mulher e homem, de carne e osso.

Nesse sentido, a vivência grupal, sobretudo hoje – quando vivemos um cotidiano de relações fugazes, superficiais e impessoais –, provê um espaço e um tempo para o cultivo de relações significativas, nutritivas e enriquecedoras. Em oposição ao anonimato e à indiferença vivenciados nas ruas e

Modalidades de intervenção clínica em Gestalt-terapia

nas comunicações virtuais, o contexto grupal oferece a possibilidade de presença, inteireza, validação, pertinência e vínculos de solidariedade. E, também, de empoderamento, pois o grupo unido pode fazer reivindicações e ações sociais conjuntas em situações nas quais o indivíduo, sozinho, se vê pequeno e impotente.

Concluo este texto lembrando Thérèse Tellegen. Quando retornei ao Brasil, em 1984, ela me apresentou uma forma de trabalhar com grupos inédita para mim e convidou-me a coordenar um grupo a seu lado. Imaginei-me de repente mostrando-lhe este texto... O que ela pensaria dele? Abro então seu livro *Gestalt e grupos: uma perspectiva sistêmica* (1984, p. 122) e leio o último parágrafo, que deixo aqui não só como homenagem a ela como também como um lembrete a todos:

> No seu acontecer concreto, no entanto, o trabalho com grupos requer muito mais do que referenciais abstratos. Ele exige flexibilidade diante do inesperado, fluidez da sensibilidade e da intuição, coragem e senso de humor. É como em viagens: ter mapas serve para a sua preparação, uma consulta numa parada e para rever caminhos percorridos depois de chegar em casa. Durante a viagem trata-se de abrir os olhos e andar, andar passo a passo, "no caminho que tem coração".

REFERÊNCIAS

ARNHEIM, R. *Art and visual perception – The new version*. Los Angeles: University of California Press, 1974.

BION, W. R. *Experiences in groups*. Nova York: Basic Books, 1961.

CAPRA, F. *O ponto de mutação*. São Paulo: Cultrix, 1982/1993.

CIORNAI, S. "The importance of the background". *The Gestalt Journal*, v. XVIII, n. 2, 1996, p. 7-34. [Em português: "Tocando o fundo: pano de fundo das figuras do nosso viver", *Revista de Gestalt*, n. 5, 1996, p. 7-22.]

_____. "Gestalt-terapia, paradigmas da contemporaneidade e física quântica: um diálogo necessário". In: PINTO, E. B. (org.). *Gestalt-terapia: encontros*. São Paulo: Instituto Gestalt de São Paulo, 2009, p. 152-72.

COHN, R. "The theme-centered interactional method: group therapists as groups educators". *Journal of Group Psychoanalysis and Group Process*, v. 2, 1969-1970, p. 19-36.

DELACROIX, J.-M. *La troisième histoire: patient-psychothérapeute – Fonds et forms du processus relationnel*. Escalquens: Dangles, 2006.

_____. *Le processus groupal dans une perspective de champ: construction et évolution d'une réflexion*. Palestra ministrada no colóquio "Au couer des groups", Lille, França, 2013.

FREW, J. "From the perspective of the environment". *The Gestalt Journal*, v. XV, n. 1, 1992, p. 39-60.

KEPNER, E. "Gestalt group process". In: FEDER, B.; RONALL, R. (orgs.). *Beyond the hot seat: Gestalt approaches to group*. Nova York: Brunner/Mazel, 1980, p. 5-24.

PERLS, F. S.; HEFFERLINE, R.; GOODMAN, P. *Gestalt-terapia*. São Paulo: Summus, 1997.

RIBEIRO, J. P. *Gestalt-terapia: o processo grupal*. São Paulo: Summus, 1994.

ROBINE, J-M. "Do campo à situação". *Revista de Gestalt*, n. 12, 2003, p. 30-37.

RONALL, R. "Intensive Gestalt workshops: experiments in community". In: FEDER, B.; RONALL, R. (orgs.). *Beyond the hot seat: Gestalt approaches to group*. Nova York: Brunner/Mazel, 1980, p. 179-211.

SANER, R. "Cultural biases of Gestalt therapy made in the USA". *The Gestalt Journal*, v. XII, 1989, p. 57-72.

TELLEGEN, T. A. *Gestalt e grupos: uma perspectiva sistêmica*. São Paulo: Summus, 1984.

YALOM, I. D.; Leszcz, M. *Psicoterapia de grupo: teoria e prática*. Porto Alegre: Artmed, 2006.

WHEELER, G. *Beyond individualism: toward a new understanding of self, relationship & experience*. Gouldsboro: The Gestalt Journal Press, 2000.

Zinker, J. A busca da elegância em psicoterapia: uma abordagem gestáltica com casais, famílias e sistemas íntimos. São Paulo: Summus, 2001.

_____. Processo criativo em Gestalt-terapia. São Paulo: Summus, 2007.

8
A Gestalt-terapia no PET-Saúde: uma experiência em saúde pública

CLAUDIA LINS CARDOSO

Nas últimas décadas, a área da saúde, sobretudo a da saúde pública, tornou-se um campo em expansão para o psicólogo brasileiro. Assim, este capítulo tem como objetivo propor articulações possíveis entre a abordagem gestáltica e a saúde, a fim de contribuir com as práticas profissionais nessa área, especialmente no âmbito da atenção primária à saúde. Ele se baseia em minha experiência na área da saúde pública, descrita a seguir.

Durante muito tempo, "saúde" era definida como "ausência de doenças", tendo essa concepção sustentado a figura do médico como referência nas práticas de saúde, já que ele era o profissional capacitado para curá-las. Em 1986, na I Conferência Internacional sobre a Promoção da Saúde, realizada em Ottawa, Canadá, a Organização Mundial da Saúde (OMS) definiu saúde como "um estado de completo bem-estar físico, mental e social, e não somente ausência de afecções e enfermidades". Entre os pré-requisitos para ter saúde, a entidade citava paz, abrigo, educação, alimentação, recursos econômicos, justiça social, ecossistema estável, recursos sustentáveis e equidade. Na ocasião, os representantes dos 38 países que participaram da Conferência empenharam-se em encontrar respostas para as novas e crescentes demandas da saúde pública em todo o mundo, em definir objetivos e em reforçar compromissos relativos à promoção da saúde (WHO, 1986).

Mais que propor um novo conceito, a OMS gerou uma mudança de paradigma não apenas teórico como prático, pois reafirmou a importância tanto do saber médico quanto daquele promovido por todas as demais profissões desse campo. Isso passou a demandar dos profissionais competências muito mais abrangentes do que a mera capacidade de diagnosticar e tratar o paciente. Além disso, por meio de suas Conferências de Saúde, as quais implicavam governantes e gestores de saúde de quase todas as partes do mundo, suas cartas e declarações originaram inúmeras e diferentes ações nos mais variados países.

No Brasil, uma dessas consequências foi a criação do Sistema Único de Saúde (SUS), previsto na Constituição Federal de 1988. Desde a sua origem, vários programas foram implantados com o objetivo de investir na promoção da saúde, como o Programa Saúde da Família (PSF). O presente texto pretende descrever de que modo a abordagem gestáltica fundamentou minha experiência como tutora de um desses programas na área da saúde pública – o Programa de Educação pelo Trabalho para a Saúde (PET-Saúde) – e como esta subsidiou as ações propostas ao grupo multiprofissional que o compunha.

O PET-Saúde, instituído pela Portaria Interministerial n. 1802, de 28 de agosto de 2008, era vinculado ao SUS e fruto

Modalidades de intervenção clínica em Gestalt-terapia

de uma parceria entre os Ministérios da Saúde e da Educação. Tinha como objetivo qualificar a formação dos profissionais de saúde, mediante grupos de aprendizagem tutorial de natureza coletiva e interdisciplinar, capacitando-os para o adequado enfrentamento das diferentes realidades de vida e de saúde da população brasileira por meio da articulação entre ensino e serviço – orientados pelo princípio da indissociabilidade entre ensino, pesquisa e extensão (Brasil, 2008).

É importante destacar que o PET-Saúde não era um estágio no qual cada aluno desenvolveria atividades específicas de sua área de conhecimento. Tratava-se de um programa multiprofissional cujo principal objetivo – e desafio – era a elaboração de ações interdisciplinares visando à Atenção Primária à Saúde (APS) e ao investimento na formação do profissional da área. Assim, sua proposta não era puramente assistencial, mas visava à integração ensino-serviço-comunidade e à educação pelo trabalho.

Sua formação básica era o grupo tutorial, composto por um tutor (professor universitário de curso de graduação da área da saúde), quatro ou cinco preceptores (profissionais da rede SUS) e alunos (bolsistas e voluntários) de graduação da área da saúde das universidades participantes, cujas atividades se davam em instituições vinculadas ao SUS (especialmente centros de saúde e hospitais). Cada grupo tutorial estava vinculado a uma linha de cuidados específica do PET-Saúde, como: Promoção da Saúde, Prevenção de Agravos e Controle das Doenças Crônicas Não Transmissíveis; Rede Cegonha; Rede de Urgência e Emergência/SOS Emergência; Programa de Saúde na Escola; e Saúde e Ambiente: intervenções no ambiente urbano para promoção da Atenção Primária à Saúde. Os grupos tutoriais tinham como objetivo desenvolver ações de atenção primária à saúde partindo de uma perspectiva multiprofissional integrada. Tais ações eram propostas de acordo com a experiência e área de conhecimento de cada professor-tutor.

O PET-Saúde da Universidade Federal de Minas Gerais (UFMG) teve início em 2009 e contou com a participação de professores e alunos de seus 12 cursos de graduação na área da saúde: Biomedicina, Educação física, Enfermagem, Farmácia, Fisioterapia, Fonoaudiologia, Medicina, Medicina veterinária, Nutrição, Odontologia, Psicologia e Terapia ocupacional. Entretanto, a Psicologia só foi inserida em 2010, quando fui convidada a ser professora-tutora representante do curso nesse programa, coordenando as ações do grupo tutorial realizadas no Centro de Saúde (CS) Primeiro de Maio, no bairro Primeiro de Maio, em Belo Horizonte (MG).

Durante os dois primeiros anos do PET-Saúde Primeiro de Maio, o foco do trabalho foi a atenção primária à saúde do idoso. De setembro de 2012 a dezembro de 2014, ele voltou-se para a saúde da mulher. A população assistida era composta pelos usuários desse CS, moradores de uma região caracterizada por vulnerabilidade social, baixo poder aquisitivo da maioria dos habitantes e áreas de risco. Ao longo desse período, participaram do referido grupo tutorial 54 alunos e 12 profissionais das áreas de saúde (com exceção da de Biomedicina).

UMA GESTALT-TERAPEUTA NO PET-SAÚDE

Quando aceitei o convite para participar do PET-Saúde, tive a noção equivocada de que desenvolveria ações de APS com alunos da Psicologia na rede pública. Foi só ao receber a lista do grupo tutorial que estaria sob minha coordenação que me dei conta de ser a única da área. Esse foi meu primeiro desafio: como conduzir um trabalho integrado no CS Primeiro de Maio com um grupo de profissionais e alunos dos cursos de Enfermagem, Farmácia, Fisioterapia, Fonoaudiologia, Medicina, Nutrição e Terapia ocupacional? Com base nesse cenário, busquei referências na abordagem gestáltica para iniciar e sustentar todo o trabalho do PET-Saúde Primeiro de Maio em sintonia com os princípios gerais do Programa.

Para Perls (1977, p. 20, grifo meu), a saúde é "um equilíbrio apropriado da coordenação de tudo aquilo que *somos*". O autor enfatiza que existimos como organismo integrado (na condição de saúde) e em interação constante com seu meio circundante, da forma como o experienciamos.

Por outro lado, a Gestalt-terapia, em sua faceta fenomenológico-existencial, concebe o homem como ser no mundo pleno de potencialidades, dotado de liberdade e da responsabilidade por suas escolhas ao longo de sua existência e possuidor de uma consciência intencional que atribui sentido a tudo. Assim, todo trabalho gestáltico procura privilegiar as vivências despertadas na pessoa em sua fronteira de contato com o meio, ampliando sua consciência sobre elas.

Nesse sentido, Campos, Toledo e Faria (2011) sustentam que saúde é a capacidade da pessoa de estabelecer um bom contato consigo e com seu entorno, de reconhecer suas possibilidades de escolha de modo responsável, constituindo-se em um movimento pró-vida, num constante vir a ser, vislumbrando a autorregulação funcional com o meio – o que acarretaria equilíbrio.

Ainda no que tange à conceituação de saúde, partindo do referencial fenomenológico-existencial, Deliberador e Villela (2010) definem-na como a nossa disposição primeira e mais imediata, a qual dá vitalidade ao nosso relacionamento com os acontecimentos da vida. Não se trata de um produto que alguém seja capaz de fazer ou de criar (no caso, o profissional da saúde). Na medida em que ela abarca outros aspectos da vida além do biológico, nenhuma técnica é capaz de contemplar o ser total da saúde.

Por outro lado, para os referidos autores (ibidem, p. 235), a doença "é a constatação de que a vida, na medida em que é frágil, se transforma e exige de nós a capacidade de encontrar novos sentidos nas diferentes mudanças", incluindo um novo modo de nos relacionarmos com o mundo, um apelo à mudança. Assim, apenas quando não conseguimos estar abertos à doença esta se torna, de fato, falta de saúde, restringindo o homem no que se refere à tarefa de cuidar de ser.

Em concordância com essa visão, entendo que na abordagem gestáltica a saúde está relacionada à capacidade da pessoa de realizar ajustamentos criativos, ou seja, responder de modo criativo e autêntico às próprias demandas e àquelas do ambiente, em maior contato possível com todas as vivências despertadas naquela situação, o que inclui suas possibilidades e limitações no momento presente. Por outro lado, a forma disfuncional de ser e de estar no mundo caracteriza-se por modos repetitivos, cristalizados, alienados e irrefletidos de existir. Note-se que a ênfase não está em algo que acomete a pessoa (como uma patologia que se instala), mas na perspectiva processual – na maneira como ela se posiciona diante da vida.

Modalidades de intervenção clínica em Gestalt-terapia

De forma análoga, Brito (2015) ressalta a necessidade de apreensão do sujeito no seu território, palco de seus conflitos, o que requer do profissional de saúde ações de uma clínica ampliada – a qual inclui as medidas sociais e a rede de relações da vida da pessoa, além da capacidade de observação e de escuta típicas da clínica tradicional. A autora também enfatiza essa concepção ao afirmar que, na atenção primária à saúde, a clínica deve privilegiar a pessoa de modo integral, devendo os aspectos econômico, social e político, além do psicológico, ser considerados no processo saúde-doença.

Assim, essa perspectiva gestáltica permeou todo o meu trabalho, não apenas na promoção de ações com os usuários do CS Primeiro de Maio (comunidade) como também com os alunos (ensino) e preceptores (serviço) que compunham o grupo tutorial. Além da oferta de ações em APS, um dos meus objetivos era sensibilizar alunos e profissionais para a singularidade de cada pessoa com quem iríamos trabalhar, valorizando o atendimento humanizado. Todas as atividades foram pensadas, discutidas e realizadas coletivamente, com base nas sugestões e na área de conhecimento de cada um e na demanda da comunidade assistida. Nesse sentido, desenvolvemos mutirões da saúde do idoso e da mulher (Cardoso, 2015; Souza *et al.*, 2012), fizemos visitas domiciliares, confeccionamos cartilhas de educação em saúde, realizamos grupos de cuidadores (Carvalho *et al.*, no prelo), de gestantes (Ferreira *et al.*, 2013), de mulheres e de Agentes Comunitárias de Saúde, roda de conversa com hipertensos e diabéticos, acolhemos os usuários na chegada ao Centro de Saúde (idosos e mulheres), elaboramos e encenamos teatros informativos com objetivos vinculados às demandas e necessidades da população local. Também foram apresentados vários trabalhos em eventos científicos da área da saúde e publicados artigos em periódicos. Duas pesquisas foram desenvolvidas: "Avaliação da situação de saúde de idosos residentes na área de abrangência de três Unidades Básicas de Saúde do município de Belo Horizonte-PET-Saúde" (Miranda *et al.*, 2015) e "Qualidade de vida e perfil de saúde dos indivíduos atendidos em quatro Unidades Básicas de Saúde em Belo Horizonte" (Almeida-Brasil *et al.*, no prelo).

Em todas as fases das ações do PET-Saúde Primeiro de Maio (concepção, planejamento, execução e interação entre os participantes), usando o referencial da Gestalt-terapia, minhas diretrizes como tutora de uma equipe multiprofissional de saúde foram: ênfase nas relações, questionamento reflexivo, abertura ao novo, diversidade, criatividade e integração de diversos saberes.

Ênfase nas relações

Por se tratar de uma abordagem que concebe o homem como um ser em relação, considero impossível ser um profissional do cuidado – na área da psicologia, da medicina, da fisioterapia ou de qualquer outra vertente da saúde – sem desenvolver as habilidades básicas para estar em relação com a pessoa assistida. Observar, ouvir, falar numa linguagem acessível e se deixar ser tocado pela presença do outro são algumas das habilidades necessárias ao ato de cuidar (Hycner, 1995).

Essa perspectiva é pertinente com a de Dichtchekenian (2010), o qual afirma que essa apreensão do homem como "ser no mundo" lhe confere uma concepção de abertura, de disponibilidade para se relacionar de diversas maneiras com os outros – sendo o homem, portanto, sensibilidade e abertura para ser tocado por algo ou alguém diferente dele. Isso remete ao aspecto da transcendência do homem, ir além de si, que é "verdadeiramente acolher em si o diferente de si, os outros entes, reais ou imaginários. E acolher, aqui, quer dizer testemunhar, nomear aquilo que, por força de sua própria característica, inevitavelmente o toca [...]" (Dichtchekenian, 2010, p. 4). Em consequência, o autor atribui ao "ser homem" a possibilidade de compreender – dar contornos significativos a outro ser, percebendo a necessidade deste de ser quem é, o que não diz respeito a aceitar ou rejeitar sua forma de ser. E conclui: "A tarefa do Homem é ser esse espaço onde cada ente tem a oportunidade de adquirir consistência de ser, porque é percebido, é nomeado, é estudado, é abordado" (ibidem).

Nesse sentido, Cardella (2014) afirma ser a hospitalidade, entendida como a disposição do mundo humano de acolher a pessoa em sua singularidade, uma das principais dimensões do cuidado. Ela ressalta também a importância da presença implicada do profissional na relação estabelecida com aquele de quem cuida.

Assim, visando sensibilizar os alunos para aqueles de quem pretendem cuidar, propus ações como a "acolhida da pessoa", estimulando-os a se encaminhar até os idosos ou mulheres que estivessem chegando ao CS, a se apresentar como alunos do PET-Saúde, a perguntar o motivo de sua ida e a se disponibilizar para ajudar no que fosse possível. Interessante registrar que vários acadêmicos revelaram sentir vergonha de abordar as pessoas ou reconheceram a dificuldade de transmitir informações em linguagem acessível.

Penso que não há como enfatizar a relação se não se reconhece o outro na sua singularidade. Muitas vezes, profissionais da saúde visitam famílias menos favorecidas tendo concepções prévias sobre o que é certo e errado, saúde e doença, família estruturada e desestruturada etc. Nas visitas domiciliares, estimulei a observação e a reflexão sobre como seria viver naquele contexto, quais as possibilidades e limitações daquelas pessoas, e como nós, como grupo tutorial do PET-Saúde, poderíamos contribuir para a melhoria da qualidade de vida delas, respeitando seu contexto e não ditando regras.

No âmbito das relações entre os membros do grupo tutorial, procurei facilitar a comunicação e enfatizar o diálogo em todas as circunstâncias – fosse na concepção ou elaboração de propostas, fosse na resolução de tensões ou de eventuais problemas. As reuniões regulares, bem como os grupos virtual e de WhatsApp, foram canais importantes para trocar informações, reconhecer o próximo e, em consequência, fortalecer os laços dos "Petianos", como nós costumamos nos denominar.

Questionamento reflexivo

Entendo a fenomenologia como um método de interrogação. É a proposta do "ensaio da dúvida universal", como sugeriu Husserl (2006), o convite à adoção da atitude fenomenológica (reflexiva sobre as coisas do mundo), em oposição à atitude natural (na qual as coisas nos são dadas e nossa subjetividade, desconsiderada na relação a elas).

Desse modo, como tutora do PET-Saúde Primeiro de Maio, propus questionamentos constantes sobre as situações ocorridas na experiência de campo e sobre as crenças dos alunos e dos profissionais acerca delas. Com isso, pretendi estimulá-los a abandonar a atitude, ainda comum entre profis-

Modalidades de intervenção clínica em Gestalt-terapia

sionais da saúde, que reduz a pessoa – aliás, o paciente – ao seu diagnóstico, considerado um princípio universal e generalizado em todas as suas características, constituindo-se, portanto, no único referencial para o tratamento. Minha intenção era provocar os profissionais e aqueles em formação a assumir uma atitude fenomenológica, questionadora, aberta ao novo, à singularidade de cada um e ao acesso a novos sentidos. Ao questioná-los, convidava-os a deixar de lado as respostas certas, aprendidas nos livros e nos bancos da academia ou engessadas pela rotina profissional, e a ampliar sua consciência intencional do fenômeno que é a pessoa em atendimento para além de sua patologia, mazelas ou limitações. Isso permitiu também o reconhecimento e a legitimidade de sua subjetividade, inclusive na elaboração das atividades a ser realizadas.

Outro ponto que estimulou o questionamento reflexivo foi o portfólio individual confeccionado pelos alunos. Diferentemente do relatório, composto pela lista de atividades desenvolvidas, aquele tinha como objetivo o registro de sua experiência de campo, de suas produções e reflexões, podendo incluir diversos materiais: anotações, referências a textos acadêmicos, autoavaliação, fotos, propostas etc. A ideia do portfólio era que, ao sistematizar suas atividades de modo reflexivo, o aluno pudesse se apropriar de sua experiência de modo mais consciente e integrado.

Minhas interrogações aos membros do grupo tutorial sempre remetiam à intenção de que eles se conectassem com sua experiência e expressassem o que fizesse sentido (atitude fenomenológica). Concordo com Fukumitsu *et al.* (2009) quando sustentam ser importante que o profissional tenha consciência de sua compreensão de saúde e de doença, uma vez que ela será referência na elaboração de suas ações e na sua disponibilidade para o cuidado. Entendo que profissionais imbuídos de uma atitude impessoal e irreflexiva dificilmente estão aptos a prestar um serviço de qualidade – o que configura uma situação nefasta, sobretudo quando se trata da área da saúde.

Abertura ao novo

Perls, Hefferline e Goodman (1997, p. 44-45, grifos dos autores) sustentam, desde os primórdios da Gestalt-terapia, que todo contato é matéria-prima do crescimento, sendo necessariamente dinâmico e criativo:

> [...] ele não pode ser rotineiro, estereotipado ou simplesmente conservador porque tem de enfrentar o novo, uma vez que só este é nutritivo. [...] O contato não pode aceitar a novidade de forma passiva ou *meramente* se ajustar a ela, porque a novidade tem de ser assimilada. *Toda novidade é ajustamento criativo do organismo e ambiente.*

Uma das minhas ações para estimular essa abertura ao novo, objetivando promover contatos, deu-se na própria organização interna do grupo. De acordo com o Edital do PET--Saúde, cada preceptor deveria assumir dois alunos bolsistas, além dos voluntários, quando fosse o caso. Procurei fazer essa distribuição de modo que cada preceptor(a) sempre ficasse com alunos de cursos diferentes de sua especialidade. Isso só não aconteceu quando houve incompatibilidade de horários.

Segundo os relatos dos Petianos, essa estratégia fomentou a interdisciplinaridade, pois obrigou cada um a sair da

Modalidades de intervenção clínica em Gestalt-terapia

zona de conforto da sua área de conhecimento e exigiu um diálogo mais amplo sobre todas as ações a ser desenvolvidas, já que elas sempre eram elaboradas e operacionalizadas em grupo. Por essa razão, ouvir o ponto de vista de outras áreas sobre um mesmo assunto também promoveu o aprendizado e permitiu o contato com novas perspectivas, ampliando e contextualizando o olhar dos profissionais e dos acadêmicos sobre a pessoa atendida e sobre novos campos de saber (Reis *et al.*, 2014).

A própria ênfase do PET-Saúde na atenção primária também estimulou a abertura ao novo, visto que as práticas cotidianas do CS e a maior parte do conteúdo aprendido nos bancos da academia visam à assistência secundária e à reabilitação. Consequentemente, a comunidade foi contemplada com ações de promoção da saúde com base em suas demandas e necessidades e de modo interativo. Um exemplo disso foram as atividades dos grupos específicos propostas pelo PET-Saúde Primeiro de Maio (de cuidadores, de gestantes, de mulheres, de Agentes Comunitários de Saúde, de planejamento familiar e roda de conversa de diabéticos e hipertensos), que estimularam a adoção de novos hábitos de vida saudável de modo nunca antes abordado pelos profissionais do CS.

Outro exercício de abertura ao novo com o grupo tutorial foi a opção por dialogar com a comunidade antes do planejamento das ações. Coerentemente com a proposta de Brito (2015), esse contato permitiu o acesso a experiências que revelaram sentidos, necessidades e potencialidades inalcançáveis apenas na perspectiva dos profissionais e facilitou a adesão dos usuários do CS às atividades do PET-Saúde.

Diversidade

Silveira e Peixoto (2012) ressaltam que o ser humano seleciona no ambiente aquilo com que vai interagir a cada momento, construindo assim o seu mundo próprio. Neste, ele se ajusta criativamente a cada reconfiguração do seu processo de existir e de contatar o mundo, o que só é possível pela assimilação do diferente, que caracteriza o contato. Afirmam eles: "Cada um faz contato com o mundo de forma singular. Isto porque cada um é singular. No contato ocorre o encontro de singularidades. Singularidades que se entranham, permitindo o surgimento de uma terceira singularidade" (ibidem, p. 21).

Desde os primórdios da Gestalt-terapia, Perls afirmava que é pela assimilação do não-eu, do diferente, que o eu cresce e se desenvolve, sendo essa a concepção de contato: a troca com o meio que promove mudança (Perls, Hefferline e Goodman, 1997). É comum na literatura gestáltica encontrarmos referências às aplicações desse conceito no campo da psicoterapia, sobretudo na concepção de neurose como a perda da capacidade de estabelecer novos e nutritivos contatos. Entretanto, ele também pode se aplicar à área da saúde, sendo afim ao conceito de interdisciplinaridade.

Os grupos tutoriais do PET-Saúde tinham a marca da diversidade, por se caracterizarem pela multiprofissionalidade. Um dos desafios foi estimular cada participante a superar a fragmentação de conhecimentos técnicos específicos e se abrir para a diversidade de saberes, fosse de outra área da saúde, fosse da experiência de vida das pessoas da comunidade.

No âmbito da saúde pública, pode-se exercitar essa diversidade por meio do estímulo ao trabalho interdisciplinar, e não multidisciplinar. Neste último, coexistem ações de diferentes áreas do conhecimento, mas há pouca ou nenhuma interação entre elas. Assim, é comum que um usuário seja atendido no próprio CS por dois ou mais profissionais de diferentes modalidades, sem qualquer tipo de troca ou comunicação entre eles sobre o paciente (Reis *et al.*, 2014). Por sua vez, Japiassu (1976) ressalta como duas das características da interdisciplinaridade a intensidade das trocas entre os profissionais e a interação real dos conhecimentos em uma ação comum, o que vai muito além da mera troca de informações, pois são contemplados os vínculos de integração no processo de trabalho. É esse atendimento interdisciplinar o grande desafio da assistência integral na saúde pública. Como afirmam Reis *et al.* (ibidem, p. 599),

> [...] a interdisciplinaridade se faz presente cada vez mais na área da saúde, permite uma melhor compreensão da complexidade dos fenômenos, diminui os efeitos da fragmentação do conhecimento e proporciona uma assistência humanizada pela percepção do indivíduo em suas diversas dimensões.

Entendo a interdisciplinaridade como troca, interação que promove a construção comum com base na diversidade. Uma das principais ações que favoreceram a convivência e o exercício da diversidade foram as reuniões quinzenais com o grupo tutorial. Elas constituíram uma rica oportunidade de encontrar pessoas diferentes, com distintos saberes e áreas de conhecimento, em um espaço em que cada uma expressasse o que quisesse em relação à sua experiência do PET – perspectivas teóricas, propostas, ideias, críticas, reflexões, dificuldades, divergências, dúvidas etc. Como ressaltam Reis *et al.*

(2014), essa oportunidade de compartilhar saberes e perspectivas diversos fomentou discussões, abriu caminhos para ações interdisciplinares e estimulou posturas de respeito, escuta, diálogo e humildade.

Outra ação em prol da valorização da diversidade foi a inserção dos acadêmicos, quando de seu ingresso no PET-Saúde Primeiro de Maio, no rodízio pelos diversos setores do CS: acolhimento, sala de observação e de vacina, farmácia, odontologia, consulta médica e de enfermagem, visitas domiciliares com Agentes Comunitários de Saúde (ACSs) e Agentes Comunitários de Endemias (ACEs), reuniões das Equipes de Saúde da Família (ESFs) e do Núcleo de Apoio à Saúde da Família (Nasf). Essa atividade foi importante para propiciar o contato dos alunos com as diferentes práticas e os profissionais envolvidos, o que, coerentemente com os princípios da interdisciplinaridade, agregou e diversificou seus conhecimentos.

Criatividade

Zinker (2007, p. 16) afirma que "cada ato criativo é uma unidade inspiradora e expiradora; é a expressividade da plenitude da vida, bem como o suporte para a vitalidade". Apesar de referir-se à prática da psicoterapia, ele lista várias características do psicoterapeuta criativo que considero pertinentes ao perfil de qualquer profissional de saúde que pretenda fazer uso da criatividade: sensibilidade, curiosidade pelo novo, capacidade de integração, coragem para experimentar e para assumir riscos, ousadia no já conhecido e no novo, capacidade de se relacionar com o outro e senso de humor.

A rotina de todo Centro de Saúde é permeada por inúmeras situações que vão muito além de uma mera instituição de saúde prestadora de assistência. É comum os usuários o considerarem referência para diversas necessidades e até mesmo como centro de convivência com vizinhos. Ao se pretender um atendimento humanizado, a própria diversidade cultural, de demandas, de níveis socioeconômicos etc. requer dos profissionais certa habilidade para propor ações de forma mais flexível e criativa, a fim de atender da melhor maneira a toda essa heterogeneidade. Nesse sentido, faz-se necessário pensar na operacionalização das teorias e dos conceitos aprendidos na academia de modo condizente com as características, possibilidades e limitações da população, sem abrir mão de seu caráter científico.

Na concepção gestáltica de saúde, Perls, Hefferline e Goodman (1997) ressaltam a importância da interação ativa e espontânea diante da novidade do momento presente. Afirmam eles (ibidem, p. 182): "A espontaneidade [...] é um processo de descobrir e inventar à medida que prosseguimos, engajados e aceitando o que vem". Assim, entendo ser a criatividade a liberdade para reinventar o já instituído. Sem a espontaneidade que propicia a criatividade, é impossível estabelecer novos contatos, o que, consequentemente, reforça a estagnação.

Assim, no âmbito da saúde pública, casos de acomodação, de conformação, de mera aplicação de técnicas e de interações padronizadas e estéreis do caráter inter-relacional comprometem a qualidade da assistência prestada. Com isso, diante das demandas da comunidade, discutíamos o tema e um dos meus questionamentos para o grupo era: "Como operacionalizar essa proposta da melhor maneira para os usuários, de modo que eles se envolvam e essa ação realmente faça alguma diferença para eles?"

Um dos exemplos mais significativos dessa liberdade de criar que procurei estimular no grupo foi o "teatro informativo". Em diversas situações houve a necessidade de difundir à comunidade informações sobre determinado assunto. A forma costumeira no CS era fazê-lo com palestras. Partindo de experiências anteriores (Cardoso e Santos, 2000) e por se tratar de um grupo multiprofissional, optei pelo teatro como recurso para atender àquela necessidade. Assim, depois de definido o tema, os alunos iam em busca de informações com profissionais do CS, com ACSs e, muitas vezes, com os próprios usuários, a fim de conhecer mitos, dificuldades, costumes e o nível de conhecimento acerca do tema. Somando esses dados às percepções dos alunos, tínhamos material para o roteiro a ser desenvolvido, o qual era exaustivamente discutido em nossos encontros.

Outras provocações da minha parte eram: "Como você pode contribuir, em sua área de conhecimento, para melhorar a qualidade de vida das pessoas que assistirão ao teatro?" "Que informações importantes da sua área devem compor o roteiro do teatro sobre esse tema?" A partir daí, os alunos se reuniam com as preceptoras para escrever o roteiro, e nossas trocas eram intensas também por e-mail e WhatsApp. Depois de finalizado o roteiro e definidos os "atores", iniciavam-se os ensaios e o teatro era encenado, na maioria das vezes nos "mutirões da saúde", atividades temáticas oferecidas regularmente à comunidade (Cardoso, 2015).

Vale ressaltar a participação ativa da comunidade após o teatro, comentando o que chamou a atenção na encenação ou em determinado personagem. Por se tratar de uma atividade lúdica, ainda que com objetivos fundamentados na teoria e na

Modalidades de intervenção clínica em Gestalt-terapia

prática clínica multiprofissional, muitas vezes essa interação permitiu um estreitamento dos laços da comunidade com a equipe de saúde, além do conhecimento mais amplo de como o tema abordado permeava o imaginário (crenças) e o cotidiano das pessoas (hábitos). Em algumas situações, houve o desdobramento de novas ações em virtude do maior entrosamento proporcionado pelo evento.

Ressaltamos que o teatro informativo também se configurou em uma oportunidade de divulgar informações de diferentes campos da saúde de modo integrado e acessível (o que dificilmente aconteceria se as informações fossem oferecidas mediante uma palestra com vários profissionais).

Integração dos diversos saberes

Perls, Hefferline e Goodman (1997) iniciam o livro *Gestalt--terapia* descrevendo a importância da interação entre organismo e seu ambiente, compondo um campo que se constitui em uma totalidade unificada composta por aspectos em intrínseca interação entre si. Quando um ou mais aspectos do campo são alienados, este fica comprometido.

Yontef (1998) concebe o campo como uma totalidade composta por uma teia de relacionamentos mútuos, multifatoriais, dinâmicos, organizados e contínuos no espaço e no tempo. Ele enfatiza ainda que o conceito de campo está na base de toda a teoria e prática da Gestalt-terapia.

Essa perspectiva de campo da abordagem oferece importante referencial para trabalhos no contexto da saúde pública, uma vez que este é composto por uma multiplicidade de fatores em completa interação: não apenas as pessoas que fazem parte dessa rede (profissionais, usuários e gestores) e seus distintos saberes, como aspectos sociais, culturais, políticos, religiosos, psicológicos, pessoais etc.

Assim, uma das ações de atenção primária à saúde concebidas de modo "cientificamente criativo" foram os "mutirões da saúde". Caracterizados como uma mobilização coletiva de todo o grupo tutorial em torno de um tema, contando também, por vezes, com a participação de outros profissionais da equipe de saúde do CS ou da rede pública, os mutirões tinham como objetivos: divulgar informações de promoção da saúde e prevenção de doenças de forma interdisciplinar e interativa, contemplando as demandas e possibilidades da comunidade; estimular a adoção de novos hábitos de vida saudável; propiciar aos alunos e profissionais do grupo tutorial a oportunidade de trabalhar tendo uma visão integral da pessoa, bem como de exercer a interdisciplinaridade em toda a extensão das atividades; fortalecer os vínculos entre a comunidade e a equipe de saúde (Cardoso, 2015).

Cada mutirão da saúde girava em torno de um tema específico, sendo as ações construídas com base na área de conhecimento de cada um dos membros do grupo tutorial. Todos os assuntos abordados foram escolhidos mediante uma abordagem informal dos acadêmicos ao público-alvo do PET-Saúde sobre assuntos de seu interesse, segundo a percepção da equipe de saúde no cotidiano do trabalho, ou ainda como parte de uma solicitação da Secretaria Municipal de Saúde de Belo Horizonte. Procuramos, desse modo, contemplar os diversos aspectos que compunham o "campo" do mutirão, com o objetivo de atender às necessidades da população de melhor maneira possível.

Enquanto o PET-Saúde Primeiro de Maio esteve inserido na linha de cuidado com a saúde do idoso, foram realizados sete mutirões: Alimentação Saudável, Cair, Nunca Mais! (prevenção de quedas), De Bem com Meus Remédios (uso de medicamentos), Corpo + Cuidado = Saúde (sexualidade na terceira idade, com exame preventivo de câncer de colo uterino), Ativa-Idade (atividade física), Doce Vida (diabetes) e Cuidando de Quem Cuida (cuidadores).

Por ocasião do foco na saúde da mulher, houve quatro mutirões: Saúde da Mulher (a importância da realização dos exames preventivos), A Alegria de Ser Mulher (autocuidado), Corpo + Cuidado = Saúde da Mulher (sexualidade) e Cuidando de Si para Viver Melhor (autocuidado e encerramento das atividades do PET-Saúde).

Na verdade, a perspectiva de campo permeou todo o trabalho interdisciplinar, mas outra atividade a ser destacada foi a sistematização do conhecimento produzido pelos membros do grupo tutorial com a experiência de campo do PET-Saúde Primeiro de Maio. Foram 48 apresentações de trabalhos em eventos científicos (pôsteres, apresentações orais e participação em mesas-redondas) e 21 publicações (artigos, capítulos, trabalhos completos e resumos publicados em anais de eventos), entre os quais apenas sete trabalhos e três textos foram de autoria única. Essas construções coletivas se configuraram em um exercício de integração dos diversos saberes na composição de uma única produção de grande aprendizagem para todos os envolvidos.

FECHANDO ESSA GESTALT...

Muito da experiência descrita foi concebido ou operacionalizado diante de situações imprevistas, típicas do cotidiano na saúde pública. O contato com a realidade dos usuários requer dos profissionais posturas e ações distintas daquelas assumidas na clínica particular. Inúmeros foram os desafios e as dificuldades, mas maiores ainda foram o aprendizado e o crescimento proporcionado a todos os envolvidos: comunidade, alunos e profissionais.

A reflexão acerca da experiência do PET-Saúde Primeiro de Maio mostrou que a abordagem gestáltica forneceu um alicerce teórico cujas bases propiciaram o desenvolvimento de um trabalho consistente e fundamentado, não apenas no que se referia ao conteúdo (ações voltadas para os problemas e demandas da comunidade), mas especialmente no processo de vir a ser, tanto das pessoas que dele participaram como usuários da rede pública quanto do grupo tutorial. O foco também na postura profissional permitiu o avanço de um trabalho multiprofissional em direção a outro interdisciplinar, elaborado a inúmeras mãos e enriquecido pela multiplicidade de saberes. Os membros do grupo tutorial relataram ter despertado sua percepção e sensibilidade para a pessoa a ser assistida em seu contexto pessoal e comunitário.

Essa postura também se refletiu no atendimento mais cuidadoso, e por isso mais humanizado, por parte dos acadêmicos e dos profissionais, o que reforçou a concepção ampliada de saúde como melhoria da qualidade de vida da pessoa em seu mundo.

REFERÊNCIAS

Almeida-Brasil, C. C. *et al*. "Qualidade de vida e características associadas: aplicação do WHOQOL-BREF no contexto da atenção primária à saúde". *Ciência & Saúde Coletiva*, no prelo.

Modalidades de intervenção clínica em Gestalt-terapia

BRASIL. Ministério da Saúde. Ministério da Educação. Portaria Interministerial n. 1802. 2008. Disponível em: <http://bvsms.saude.gov.br/bvs/saudelegis/gm/2008/pri1802_26_08_2008.html>. Acesso em: 10 abr. 2015.

BRITO, M. A. Q. "Gestalt-terapia na clínica ampliada". In: Frazão, L. M.; Fukumitsu, K. O. (orgs.). A clínica, a relação psicoterapêutica e o manejo em Gestalt-terapia. São Paulo: Summus, 2015.

CAMPOS, B. G.; TOLEDO, T. B. E.; FARIA, N. J. "Clínica gestáltica e integralidade em uma Unidade Básica de Saúde. Revista da Abordagem Gestáltica, v. 17, n. 1, jan. -jun. 2011, p. 23-29.

CARDELLA, B. H. P. "Subjetividade e cuidado em Gestalt-terapia". In: Nucci, N. A. G.; Faria, N. J. Psicologia e saúde: reflexões humanistas. Campinas: Alínea, 2014.

CARDOSO, C. L. "Os 'Mutirões da Saúde' como ação interdisciplinar de Atenção Primária à Saúde". Gerais: Revista Interinstitucional de Psicologia, v. 8, n. 2, dez. 2015, p. 177-93.

CARDOSO, C. L.; SANTOS, P. L. C. "Histórias por um fio: falando sobre psicoterapia de grupo". Insight: Psicoterapia e Psicanálise, n. 108, jul. 2000, p. 25-29.

CARVALHO, M. A. et al. "Cuidando de quem cuida: contribuições do PET-Saúde na realização de um grupo de cuidadores". Interface – Comunicação, Saúde, Educação (no prelo).

DELIBERADOR, H. R.; VILLELA, F. S. L. "Acerca do conceito de saúde". Psicologia Revista, v. 19, n. 2, 2010, p. 225-37.

DICHTCHEKENIAN, N. "Saúde e fenomenologia". Fenô & Grupos. São Paulo, 2010. Disponível em: <http://www.fenoegrupos.com/JPM-Article3/index.php?sid=3>. Acesso em: 4 abr. 2015.

FERREIRA, S. L. S. et al. "Programa de Educação pelo Trabalho em Saúde (PET--Saúde) e atenção primária à saúde das gestantes. In: Convibra Online – II Congresso Online de Gestão, Educação e Promoção da Saúde, 2013, p. 1-11.

FUKUMITSU, K. O.; CAVALCANTE, F.; BORGES, M. "O cuidado na saúde e na doença: uma perspectiva gestáltica". Estudos e Pesquisa em Psicologia, v. 9, n. 1, abr. 2009. Disponível em <http://pepsic.bvsalud.org/scielo.php?script=sci_arttext&pid=S1808--42812009000100014&lng=pt&nrm=iso>. Acesso em: 25 abr. 2015.

HUSSERL, E. Ideias para uma fenomenologia pura e para uma filosofia fenomenológica. Aparecida: Ideias & Letras, 2006.

HYCNER, R. De pessoa a pessoa: psicoterapia dialógica. São Paulo: Summus, 1995.

JAPIASSU, H. Interdisciplinaridade e patologia do saber. Rio de Janeiro: Imago, 1976.

MIRANDA, A. C. C. et al. "Análise descritiva de idosos com déficit cognitivo e funcional residentes em Belo Horizonte, MG". Revista Brasileira de Geriatria e Gerontologia, v. 18, n. 1, 2015, p. 141-50.

PERLS, F. Gestalt-terapia explicada. São Paulo: Summus, 1977.

PERLS, F.; HEFFERLINE, R.; GOODMAN, P. Gestalt-terapia. São Paulo: Summus, 1997.

REIS, S. F. et al. "A interdisciplinaridade no grupo tutorial Primeiro de Maio – PET--saúde". Gestão e Saúde, v. 5, n. 2, 2014, p. 595-610. Disponível em: <http://gestaoesaude.unb.br/index.php/gestaoesaude/article/view/776>. Acesso em: 9 maio 2014.

Lilian Meyer Frazão e Karina Okajima Fukumitsu (orgs.)

SILVEIRA, T. M.; PEIXOTO P. *A estética do contato*. Rio de Janeiro: Arquimedes, 2012.

SOUZA, D. U. F. *et al.* "Mutirão preventivo ginecológico na população feminina do CS Primeiro de Maio". In: TEIXEIRA, M. G.; RATES, S. M. M.; FERREIRA, J. M. (orgs.). *O coletivo de uma construção: o Sistema Único de Saúde de Belo Horizonte*. v. 1. Belo Horizonte: Rona, 2012, p. 298-303.

WHO. *Carta de Ottawa. Primeira Conferência Internacional sobre Promoção da Saúde*. Ottawa, Canadá, nov. 1986. Disponível em: <http://bvsms.saude.gov.br/bvs/publicacoes/carta_ottawa.pdf>. Acesso em: 2 jul. 2014.

YONTEF, G. *Processo, diálogo e awareness: ensaios em Gestalt-terapia*. São Paulo: Summus, 1998.

ZINKER, J. *Processo criativo em Gestalt-terapia*. São Paulo: Summus, 2007.

Os autores

Claudia Lins Cardoso
Psicóloga, doutora em Psicologia Clínica pela Pontifícia Universidade Católica do Rio de Janeiro (PUC-RJ), é mestre em Psicologia Social e especialista em Gestalt-terapia. Professora adjunta do Departamento de Psicologia da Universidade Federal de Minas Gerais (UFMG), atua como docente no ensino superior desde 1994 e como supervisora. Professora convidada do curso de pós-graduação em Psicologia Clínica: Análise existencial e abordagem gestáltica, na Fead – Centro de Gestão Empreendedora. Coordena projetos de extensão na área da psicologia da saúde, incluindo a tutoria do Programa de Educação pelo Trabalho para a Saúde (PET-Saúde). Membro do corpo editorial da *Phenomenological Studies: Revista da Abordagem Gestáltica*, é autora de artigos em periódicos científicos e de capítulos de livro.

Enila Chagas
Formada em Direito e em Psicologia, é Gestalt-terapeuta, tendo participado do primeiro grupo de treinamento em Gestalt realizado em Brasília por Walter Ribeiro. Docente em novos grupos de treinamento por 30 anos, realizou constante trabalho de discussão e revisão da abordagem em grupos de coordenação, bem como supervisora da parte prática desses grupos. Participou de cursos de

gestaltistas brasileiros e de estrangeiros que vieram ao Brasil. Membro do comitê editorial do *International Gestalt Journal* por três anos, traduziu para o português *Between person and person*, de Richard Hycner (Summus, 1995).

Jorgete de Almeida Botelho

Psicóloga e psicoterapeuta, é Gestalt-terapeuta, com especialização em Tanatologia pela Fundação Getulio Vargas (FGV) e em Terapia Familiar Sistêmica (Núcleo Pesquisas Moisés Groisman). Realizou cursos de atualização em Geriatria e Gerontologia pela Sociedade Brasileira de Geriatria e Gerontologia do Rio de Janeiro (SBGG-RJ). Psicóloga clínica, atua em consultório particular e em instituição de longa permanência. Coordenadora de programas com aposentados em empresas, é membro do Grupo Rumo, que realiza atendimento psicoterápico em situações de trauma e perdas, e facilitadora de oficinas de memória. Palestrante e autora de artigos para revistas, criou o site www.envelhecerativo.psc.br.

Karina Okajima Fukumitsu

Psicóloga e psicoterapeuta; pós-doutoranda e doutora pelo Programa de Pós-graduação em Psicologia Escolar e do Desenvolvimento Humano pela Universidade de São Paulo e bolsista PNPD/Capes; mestre em Psicologia Clínica pela Michigan School of Professional Psychology (EUA); especialista em Psicopedagogia pela Pontifícia Universidade Católica de São Paulo e em Gestalt-terapia pelo Instituto Sedes Sapientiae. Autora dos livros (todos publicados pela Editora Digital Publish & Print): *Suicídio e luto: história de filhos sobreviventes* (2013), *Suicídio e Gestalt-terapia* (2012) e *Perdas no desenvolvimento humano: um estudo fenomenológico* (2012). Co-organizadora da **Coleção Gestalt-terapia: fundamentos e práticas** e coeditora da *Revista de Gestalt* do Instituto Sedes Sapientiae.

Lilian Meyer Frazão

Uma das pioneiras na abordagem gestáltica no Brasil, é mestre em Psicologia Clínica pela Universidade de São Paulo, professora do Instituto de Psicologia da USP e do Departamento de Gestalt-terapia do Instituto Sedes Sapientiae, colaboradora em treinamentos de Gestalt-terapeutas no Brasil e no exterior, autora de artigos em revistas e responsável pela tradução de artigos e livros de Gestalt-terapia para o português. Coautora do livro *Gestalt-terapia, psicodrama e terapias neo-reichianas no Brasil 25 anos depois (Ágora, 1995)*; autora do artigo "Gestalt-terapia" na coleção Psicoterapias da *Revista Mente e Cérebro*; co-organizadora e autora do livro *Gestalt e gênero* (Livro Pleno, 2005); co-organizadora da **Coleção Gestalt-terapia: fundamentos e práticas.**

Mônica Botelho Alvim

Gestalt-terapeuta e doutora em Psicologia, trabalha em consultório há 25 anos, atuando também na formação de Gestalt-terapeutas em diversos institutos do Brasil. É professora universitária e supervisora na área de fenomenologia e Gestalt-terapia na graduação e pós-graduação em Psicologia da Universidade Federal do Rio de Janeiro (UFRJ). Pesquisa a situação contemporânea e seus impactos na existência e nas formas de sofrimento e adoecimento, buscando integrar ao psicológico as dimensões sócio-histórica e política. Autora de artigos e livros, entre seus interesses de pesquisa estão a clínica tradicional e o desenvolvimento de modelos ampliados de clínica, sempre mantendo um diálogo interdisciplinar entre Gestalt-terapia, filosofia e arte em torno da corporeidade e da criação.

Myrian Bove Fernandes

Psicóloga clínica pela Pontifícia Universidade Católica de São Paulo (PUC-SP), é Gestalt-terapeuta pelo Instituto Sedes Sapientiae e coordenadora do Instituto Gestalt de São Paulo (IGSP), no qual também exerce as funções de docente, coordenadora científica e editora da *Revista Sampa GT*. Cursou Terapia Familiar no Instituto de Terapia Familiar de São Paulo e vem coordenando o Núcleo de Estudos sobre Família no IGSP. É membro do Gestalt International Study Center.

Rosana Zanella

Psicóloga, psicoterapeuta, mestre em Psicologia da Saúde e especialista em Psicologia Clínica, é professora do curso de especialização em Gestalt-terapia do Instituto Sedes Sapientiae e do Centro Universitário das Faculdades Metropolitanas Unidas (UniFMU). É coautora de *A clínica gestáltica com crianças: caminhos de crescimento* (2010) e organizadora de *A clínica gestáltica com adolescentes: caminhos clínicos e institucionais* (2013), ambos publicados pela Summus.

Selma Ciornai

Formada em Psicologia, Sociologia, Antropologia e Artes Criativas pela Universidade de Haifa, é psicoterapeuta, doutora em Psicologia Clínica pela Saybrook University. Mestre em Arteterapia pela California State University e Gestalt-terapeuta pelo Instituto Gestalt de São Francisco. Foi docente do Departamento de Gestalt-terapia do Instituto Sedes Sapientiae, além de cofundadora e professora do Instituto Gestalt de São Paulo (IGSP). Fundadora, coordenadora e docente do curso de especialização em Arteterapia do Instituto Sedes Sapientiae e do Instituto da Família de Porto Alegre, é colaboradora e docente de cursos de formação em Gestalt-terapia em várias cidades brasileiras e em diversos países. Autora de *Da contracultura à menopausa: vivências e mitos da passagem* (Oficina de Textos, 1999), é coautora e organizadora da série **Percursos em Arteterapia** (Summus, 2004-05), assim como de artigos e capítulos sobre a abordagem gestáltica. Supervisora clínica, atua como psicoterapeuta de adultos, casais e grupos.

Sheila Antony

Mestre em Psicologia Clínica pela Universidade de Brasília (UnB), atuou como psicóloga clínica da Secretaria de Estado de Saúde do Distrito Federal (SES/DF). Fundadora e professora do Instituto de Gestalt-terapia de Brasília (IGTB), realizou treinamento intensivo em Gestalt-terapia com crianças, com Violet Oaklander, em 2006. Ministrante do curso Gestalt-terapia com crianças: teoria e arte e do *workshop* vivencial "Cuidando e amando a criança que existe em nós", é organizadora do livro *A clínica gestáltica com crianças: caminhos de crescimento* (Summus 2010). Autora de *Cuidando de crianças: teoria e arte em Gestalt-terapia* (Juruá, 2012), é colaboradora do livro *A clínica gestáltica com adolescentes: caminhos clínicos e institucionais* (Summus, 2013).

Teresinha Mello da Silveira

Especialista em Psicologia Clínica e Hospitalar, é doutora em Psicologia Clínica pela Pontifícia Universidade Católica do Rio de Janeiro (PUC-RJ). Psicóloga/Supervisora do Instituto de Psicologia da Universidade Estadual do Rio de Janeiro (Uerj), foi professora e preceptora de residentes em Psicologia Clínica e Institucional do Hospital Universitário Pedro Ernesto. Diretora do Fluir Com – Espaço de Estudo e Terapia em Gestalt. Coordenadora dos cursos de pós-graduação em Psicologia Clínica e de Psicoterapia de Casal e Família, vinculados ao Grupo Lusófono. Coordenadora acadêmica, professora e supervisora do curso de formação em Terapia de Casal e de Família do Instituto de Pesquisa Heloisa Marinho. Professora de Psicologia Clínica de vários institutos de Gestalt brasileiros, é autora dos livros *Por que eu? A doença e a escolha do cuidador familiar* (Arquimedes, 2007) e, em parceria com Paulo de Tarso de Castro Peixoto, *A estética do contato* (Arquimedes, 2012), além de ter escrito capítulos em vários livros da área.

www.gruposummus.com.br

IMPRESSO NA
sumago gráfica editorial ltda
rua itauna, 789 vila maria
02111-031 são paulo sp
tel e fax 11 **2955 5636**
sumago@sumago.com.br